JN071633

В отрывках памяти. Хабаровские эссе.

ハバーロフスク断想

承前雪とインク

岡田和也

未知谷
Publisher Michitani

序

記憶

記憶とは、葡萄酒（ワイン）や火酒（ウヰスキー）のように、寝かせておくと醸（かも）されてそれなりの馥（かお）りを薫（くゆ）らすものなのでしょうか、それとも、縁日の射的の景品や賽璐珞（セルロイド）の仮面のように、ころころと替わり続けるものなのでしょうか。いづれにしても、私の場合は、十年もしたら洋盃（コップ）の中の嵐も凪（な）いで記憶が独りでに言葉に化けてくれるかも知れないという淡い期待を懐（いだ）きつつも、そうなる前に仄（ほの）かな記憶が曹達水（ソーダ）の沫（あわ）のように消えてしまいそうでしたから、愚にも附かないものであれ、想い出せるものは想い出せるうちに想い出しておいたほうが好さそうな気がするのでした。そこで、露西亜（ロシヤ）で過ごした廿余年の日々を溯（さかのぼ）り、錆びて饐（す）えた記憶を蝸牛（かたつむり）のように辿り直そうとしたものの、懶（ものぐさ）なせいか、鈍（なまくら）なせいか、想うに任せないため、時系列には拘（こだわ）らず、抽匣（ひきだし）を幾つも拵（こしら）えて、想い出を蔵（しま）ってみることにしました。

本書は、一昨（二〇一八）年秋に刊行された『雪とインク』の続篇に當たりますが、読者の方が指摘してくださった前篇の本文中の誤りを訂正させていただきます。

（39頁）アレクサンードル（誤）アレクサーンドル（正）

（202頁）ヴェーラ・アフマドゥーリナ（誤）ベーッラ・アフマドゥーリナ（正）

亦、前篇の「ハバーロフスクの街」の地図の右下に示した「社宅」は、ザパーリン通りとフルーンゼ通りの間ではなくフルーンゼ通りとカリーニン通りの間になります。

ハバーロフスク断想　目次

序

I 街

II 言葉

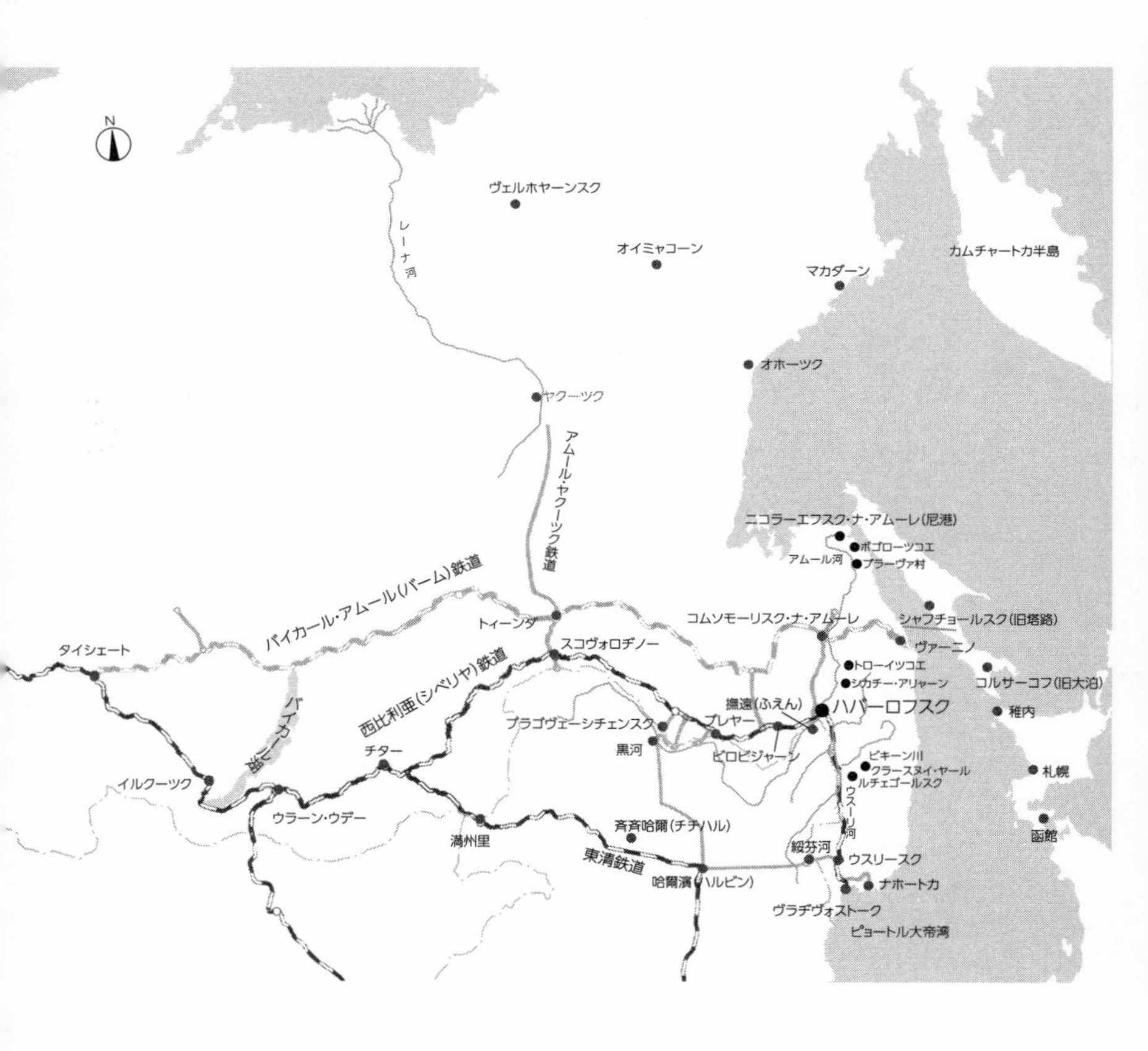
N
ヴェルホヤーンスク
オイミャコーン
レーナ河
マカダーン
カムチャートカ半島
オホーツク
ヤクーツク
アムール・ヤクーツク鉄道
ニコラーエフスク・ナ・アムーレ（尼港）
ポゴローツコエ
アムール河
ブラーヴァ村
バイカール・アムール（バーム）鉄道
トィーンダ
コムソモーリスク・ナ・アムーレ
シャフチョールスク（旧塔路）
タイシェート
スコヴォロヂノー
ヴァーニノ
トローイツコエ
シカチー・アリャーン
コルサーコフ（旧大泊）
西比利亜（シベリヤ）鉄道
撫遠（ふえん）
ハバーロフスク
稚内
バイカール湖
ブラゴヴェーシチェンスク
ブレヤー
黒河
ビロビジャーン
チター
ビキーン川
クラースヌイ・ヤール
ルチェゴールスク
札幌
イルクーツク
ウスーリ河
ウラーン・ウデー
斉斉哈爾（チチハル）
函館
満州里
綏芬河
ウスリースク
東清鉄道
哈爾濱（ハルビン）
ナホートカ
ヴラヂヴォストーク
ピョートル大帝湾

シベリヤ・極東地方

ハバーロフスク断想

＊承前雪とインク

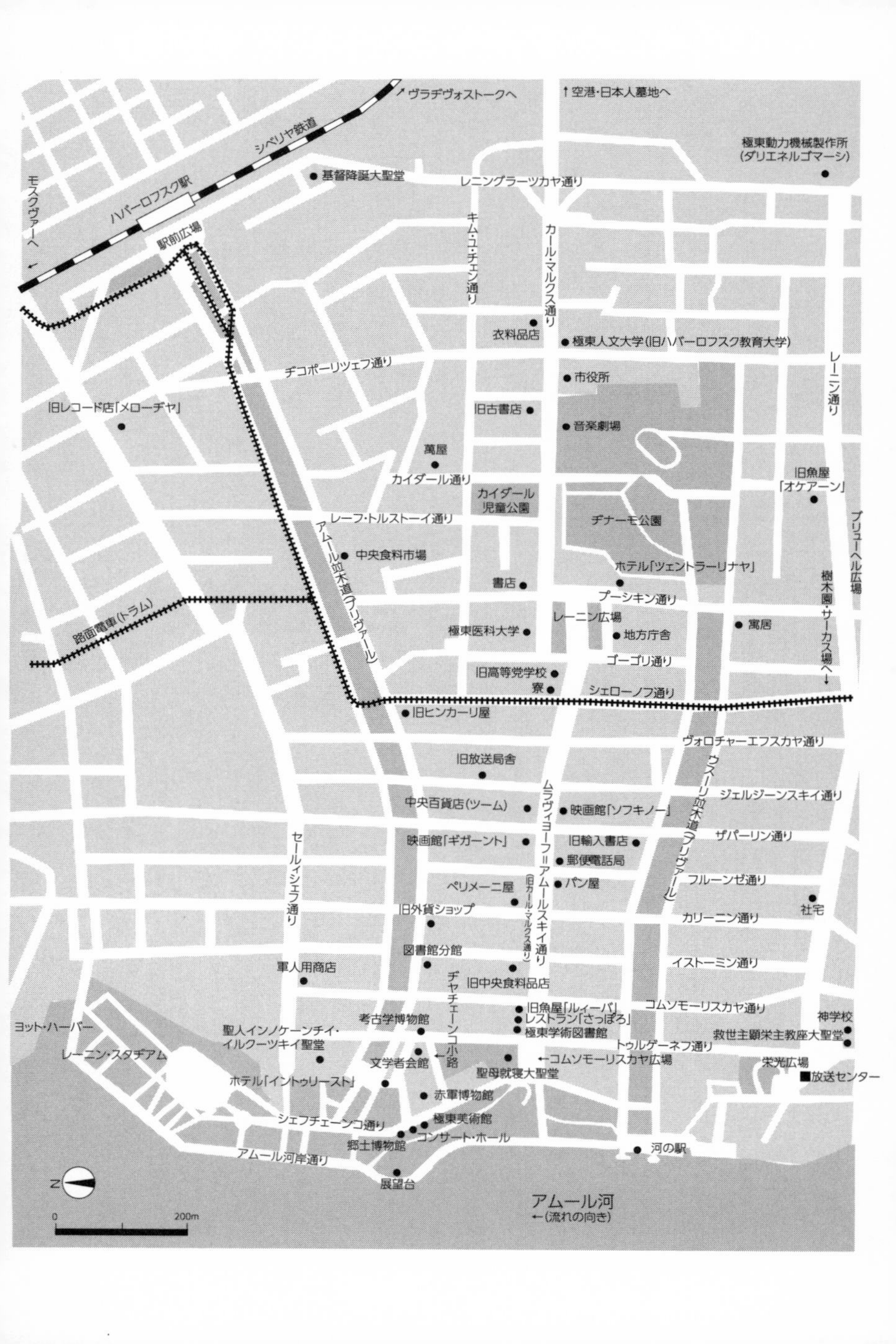

↗ヴラヂヴォストークへ
↑空港・日本人墓地へ
シベリヤ鉄道
極東動力機械製作所
(ダリエネルゴマーシ)
モスクヴァーへ
ハバーロフスク駅
基督降誕大聖堂
レニングラーツカヤ通り
駅前広場
キム・ユ・チェン通り
カール・マルクス通り
衣料品店
極東人文大学(旧ハバーロフスク教育大学)
チコポーリツェフ通り
市役所
レーニン通り
旧レコード店「メローヂヤ」
旧古書店
音楽劇場
萬屋
カイダール通り
旧魚屋
「オケアーン」
カイダール
児童公園
レーフ・トルストーイ通り
ヂナーモ公園
プリューヘル広場
アムール並木道(ブリヴァール)
中央食料市場
ホテル「ツェントラーリナヤ」
樹木園・サーカス場へ↓
書店
プーシキン通り
路面電車(トラム)
レーニン広場
寓居
極東医科大学
地方庁舎
ゴーゴリ通り
旧高等党学校
寮
シェローノフ通り
旧ヒンカーリ屋
ヴォロチャーエフスカヤ通り
旧放送局舎
ウスーリ並木道(ブリヴァール)
ジェルジーンスキイ通り
中央百貨店(ツーム)
映画館「ソフキノー」
ムラヴィヨーフ=アムールスキイ通り
(旧カール・マルクス通り)
セールイシェフ通り
映画館「ギガーント」
旧輸入書店
ザパーリン通り
郵便電話局
ペリメーニ屋
パン屋
フルーンゼ通り
旧外貨ショップ
社宅
カリーニン通り
図書館分館
イストーミン通り
軍人用商店
チャチェーンコ小路
旧中央食料品店
旧魚屋「ルィーバ」
コムソモーリスカヤ通り
考古学博物館
レストラン「さっぽろ」
神学校
ヨット・ハーバー
聖人インノケーンチイ・
イルクーツキイ聖堂
極東学術図書館
救世主顕栄主教座大聖堂
トゥルゲーネフ通り
レーニン・スタヂアム
文学者会館
←コムソモーリスカヤ広場
栄光広場
聖母就寝大聖堂
■放送センター
ホテル「イントゥリースト」
赤軍博物館
シェフチェーンコ通り
極東美術館
コンサート・ホール
郷土博物館
河の駅
アムール河岸通り
展望台
N
アムール河
←(流れの向き)
0
200m

I　街

竝木路《ブリヴァール》

ハバーロフスクの中心部の地貌《ちぼう》は、三頭立て《トローイカ》の馬車か馬橇を曳《ひ》いて奔《はし》り疲れた馬たちが肢《あし》を息《やす》めて首《こうべ》を低《た》れてアムール河の水で喉《のど》を潤《うるお》しているような趣きで、その三頭の馬の脊に、街の骨骼《こっかく》となる三条《みすじ》の通りが、馬の頭に當たる南西から馬の尻に當たる北東へと竝行《へいこう》して伸びていました。この町の西の縁を北へ流れるアムール河に向かって、右手がセールィシェフ（旧アムールスカヤ）通り、左手がレーニン（旧ウスリースカヤ）通り、真ん中がカール・マルクス（旧ハバーロフスカヤ、現ムラヴィヨーフ＝アムールスキイ）通りで、これら三頭の馬の脊と脊の間《あいだ》には、アムールとウスーリという極東の両大河の名の附いた幅が数十米《メートル》で長さが数百米の二条《ふたすじ》の竝木路《ブリヴァール》が、夷《なだら》かな谿間《たにま》のように続いていました。嘗《かつ》て地元の二人の富豪に因んでチェルドィーモフカとプリュスニーンカと名附けられた二条の小川を一九六〇年代に暗渠《あんきょ》にしたことで生まれたこれらの竝木路は、楡《ニレ》や楊《トーポリ》や紫丁香花《リラ》などの濶葉樹《かつようじゅ》と松や樅《モミ》や唐檜《トウヒ》などの針葉樹が混交する香《かぐわ》しい疎林《そりん》といった趣きで、街の空気を浄めながら静かに呼吸する左右の肺のように想われ、四季を通じて乳母車を押す若い女性や犬を散歩させたり緩走（ジョギング）を娯（たの）しんだりする人の姿が見られました。夏には、枝を差し交わす樹の下に屋外のカフェ（レートニェエ・カフェー）の涼しげな天幕（テント）が張られ、そこでは、川風を受けながら氷菓子（アイス・クリーム）を食べたり開心果（ピスタチオ）を抓（つま）みに生麦酒（ビール）を飲んだりして一息吐（つ）くことができ、そこには、闇雲（やみくも）に奔（はし）りたがる駻馬（かんば）を優しく見守る老馬の眼差しにも似たゆったりとした時間が流れていました。ハバーロフスクの二条の並木路は、巴里（パリ）のシャンゼリゼ通りのように真ん中を何車線もの道路に貫かれた広い通りではなく、カミーユ・ピサロの『モンマルトルの並木路』（一八九七年、国立エルミタージュ美術館）のように両側に石造りの建て物が厚い壁のように蹙（せま）る石畳みの通りでもなく、カジミール・マレーヴイチの『並木路で（На бульваре）』（一九〇三年、国立露西亜美術館）のように土や草の匂う緑蔭といった感じの並木路でした。ちなみに、アムール河畔の高台の遊歩道は、どこかボリース・クストーヂエフの『ヴォールガ河畔の散策』（一九〇九年、コストロマー国立美術館）を想わせる、風と光りの戯（たわぶ）れる心弾むプロムナードでした。

池

ハバーロフスク国立教育大学（現 極東国立人文大学）の学生寮に近いヂコポーリツェフ通り

とプーシキン通りに挟まれたウスーリ並木路(ブリヴァール)の一区画、すなわち、昔はアムール河へ灌(そそ)いでおり今は暗渠(あんきょ)となっている旧プリュスニーンカ川の上流域には、ハバーロフスク建都百二十五周年に當たる一九八三年に竣工した人造の細長い池が三つ縦(たて)に列なっています。それらの池は、上流から下流へ向かって、すなわち、ヂコポーリツェフ通りからプーシキン通りへ向かって、順番に「上(かみ)の池」、「中(なか)の池」、「下(しも)の池」と名附けられており、それらの池の畔(ほとり)は、北側に隣接する広大なヂナーモ公園と共に市民の憩(いこ)いの場となっていましたが、とりわけ想い出深いのは、寓居からプーシキン通りを隔てて指呼(しこ)の間(かん)にある「下の池」でした。一九九〇年代初めの或る休日、職場の同僚の小学生の坊やと二人でその池へ遊びに行き、時間制で貸し出される二人乗りの足漕(あしこ)ぎ式の双胴船(カタマラーン)に乗ったことがありました。その船は、かなり年季が入っており、ところどころ黄色いペンキが剥(は)げ、あちらこちらに錆(さび)が泛(う)き、ペダルを漕ぐたびにきぃきぃと情けない音を立てる代物でしたが、坊やは船が岸を離れるや「凄い！(ズドーラヴァ)」と歓聲を上げ、頻(しき)りに燥(はしゃ)いでいるのでした。恰度(ちょうど)夏の盛りで、その池では、真っ黒に日焦(ひや)けした「河童(かっぱ)」たちが、沫(しぶ)きを上げて我が物顔で泳いでおり、私たちの船は、忽(たちま)ちそれらの「河童」たちに包囲され、海賊気分の「河童」たちは、恰好(かっこう)の獲物を見附けて囃(はや)し立てるように船を烈(はげ)しく揺さ振り、頼りない船長の私は、そんなときにぴしゃりと発すべき露西亜(ロシヤ)語を探し倦(あぐ)ね、口を結んで舵輪を把んだまま、嵐が過ぎ去るのを凝(ぢ)っと待つしかないのでした。

後年、その池の畔りに造られた「幸せな幼年時代」という題名の野外彫刻の傍(そば)を通り、岩の上に丸裸で寝そべったり蹲ったりしている「河童」の群像を目にするたびに、私は、奔放で野性的な「河童」たちに手を焼いたその夏の日を懐かしく想い出すのでした。きぃきぃというあのペダルの音と共に。今、それらの池の畔りには、『チェブラーシカ』や『クマのプーさん』や『ブレーメンの音楽家たち』といったソ連時代の人気アニメーションに登場する人物や動物の像があちらこちらに配され、「中の池」には、空飛ぶ円盤の形をした水上カフェがお目見えし、「上の池」には、噴水やレーザー・ショーの装置が備えられています。そして、ヂコポーリツェフ通りを隔てた池の向こう側には、二〇〇三年に『プラチナ・アリーナ』というスポーツ興業施設が完成し、そこでは、地元のアイス・ホッケー・チーム『アムール』の試合が行われたり、人気アーチストのコンサートや先住少数民族の伝統文化を紹介する展覧会といったイヴェントが催されたりしており、その裏手には、福音バプテスト教会の赤煉瓦風の建て物が亻ち、十字架を頂く銀色の塔がペン尖のように碧落に映えています。

灯

♪街の灯りがとても綺麗ね横浜、という昭和の流行り歌がありましたが、ハバーロフスクには、その名も『ハバーロフスクの灯り』というご當地の歌があって、町の創建記念日などには、広場や通りの拡聲器からその曲がよく流れていました。私がその町で初めて目にした街の灯りは、ブルー・ライトではなく線香花火の珠(たま)のような黝(くす)んだオレンジ色をしており、その下ではどんな言葉や沈黙が紡(つむ)がれているのだろう、そんなことを想わせてくれる灯りでした。アムール並木路(ブリヴァール)とウスーリ並木路という二条(ふたすじ)の夷(なだら)かな谿間が、街全体に起伏と陰翳を与えており、その緩やかな斜面に散り敷いた集合住宅の夕べの灯りは、学生の頃に訪れた夕張という北海道の炭砿(たんこう)町の丘の斜(なぞへ)に蛍のように点在する家々の灯りと畳(かさ)なるようでもありました。一九八九年に私が移り住んだ當時のハバーロフスクには、現代的な高層ビルは余りなく、平屋か二階建ての小ぢんまりとした深い緑や焦げ茶の木造家屋もまだちらほらと見られ、静かに蹲(うずくま)るようなその佇(たたず)まいに心惹かれたものでした。私がときどき遊びに行っていた中央百貨店(ツーム)の裏手のジェルジーンスキイ通りとザパーリン通りの間(あいだ)に立つ先住少数民族ナーナイ人のお婆さんの家も、そんな木造家屋でしたが、そこでは、石炭を焼(く)べて焚(た)く煖爐(ペーチカ)の香りに包(つつ)まれながら、呪(まじな)いで病いを封じる呪術師(シャマーン)のお話しを聞かせてもらったり、色取り取りの刺繍絲(ししゅういと)で唐草のような伝統的な文様を施した手縫いの縁なし帽を戴いたりしたことでした。懐かしいその家も疾(と)うになくなり、アムール河畔にはつるつるした感じの如何(いか)にも人工的な高層住宅がにょきにょきと立つようになり、美しい街のシルエットが失われつつあるように感じますが、街路灯は、ソ連時代にお馴染みだった孫の手のような形をして青白い光りを放つ今風なものから、雪洞(ぼんぼり)や瓦斯(ガス)灯の形をして煖色(だんしょく)の光りを滲(にじ)ませる古風なものへと回帰しつつあるような気もします。

――先住民

一九八九年の晩秋、レーニン広場（旧自由広場）の傍のソ連共産党ハバーロフスク高等党学校の寮からフルーンゼ通りの社宅へ移ってほどなく、非番の平日の白昼にレーニン通りへ買い物に出掛けると、露西亜人と想われる見知らぬ若者が、擦れ違いざまに私へ眼を飛ばして「ナーナイ人！」と吐き棄てるように云ったので、「なんだ、こいつ」と唖然としてしまいました。どこかチンピラ風のその御仁には、何処の馬の骨とも判らない生意気そうな私のことがなんとなく気に喰わなかっただけなのかも知れませんが、この町にも排外主義に囚われて異なる人種を毛嫌いし謂われなく差別したがる人がいるように想われて、厭な感じがしたものでした。一九九七年の初秋、沿海地方北部のビキーン川流域の先住狩猟民族ウデヘー人が多く暮らすクラースヌイ・ヤールという村のお祭りで、ルチェゴールスクという露西亜極東で最大の石炭火力発電所のある近隣の町から帰省していたウデヘー人の女性から露西亜人によく侮蔑されるという話しを聞かされたときにも、暗然としたことでした。一方、ハバーロフスク市在住の伝統工藝作家やハバーロフスク地方ナーナイ地区の行政中心地トローイツコエ町在住の詩人といった私が出逢ったナーナイ人は、森を濫（みだ）りに伐（き）り倒し山川（さんせん）や草木（そうもく）を泯（ほろ）ぼして自ら省みない類いの露西亜人に対する瞋恚（しんい）や不信の感情を燻（くす）ぶらせているようでした。

異民族の反目や異文化の対立のことを見聞きするたびに、私には、一九七〇年にノーベル文学賞を受賞した露西亜の作家アレクサーンドル・ソルジェニーツィンが、一九九四年五月下旬、亡命先の米国から空路でアンカレッジを経由して祖国へ戻り、ヴラヂヴォストークから鉄路で首府の莫斯科（モスクヴァー）を目指す途中、六月二日の朝、ハバーロフスクＩ駅の駅舎に接した歩廊（プラットフォーム）へ降り立ち、地元の猟人作家フセーヴォロド・シソーエフの郊外のダーチャ（小屋附きの家庭菜園）で昼食のひとときを過ごした際、黒貂（クロテン）の復活や水貂（ミンク）や麝鼠（マスクラット）の風土順化の他（ほか）に先住民と移住民の関係のことを気に懸けていたことや、一九七五年にアカデミー賞外国語映画賞を受賞した黒澤明監督の日ソ合作映画『デルスー・ウザラー』で露西亜極東の清冽な自然を背景に描かれていた露西亜人の探検家ヴラヂーミル・アルセーニエフとナーナイ人の猟人デルスー・ウザラーの私心のない交流が、ふと想い出されてくるのでした。

古老

ハバーロフスクで初めて一人で入った食料品店（ガストロノーム）は、路面電車（トラムヴァーイ）が奔（はし）るシェローノフ通りを隔てて高等党学校の寮と向かい合うカール・マルクス（現 ムラヴィヨーフ＝アムールスキイ）通り三十一号棟にあった店で、そこでは、雪洞のように薄暈りとした橙色の灯りに耿々と照らされた美味しそうなハムやソーセージなどが売られていました。夕暮れどきで賑やかな長い行列に並び、漸っと順番が来ると冷蔵函の硝子越しに指を差し、熟女の二の腕のように丸々として柔らかそうなボイルド・ソーセージをなんとか一切れ買うことができると、どうにかこの町で暮らしていけそうな気がしたものでした。その食料品店は、やがて携帯電話の販売店に変わりましたが、踏み段の附いたその入り口の傍には、夏には簇葉を風に嫋がせる一本の濶葉樹の老木が峙っており、近年になってその根元に設えられた案内の碑板には、こんな意味のキリール文字が刻まれていました。「この谷地梻は、一九一一年、探検家、学者、作家、『ウスーリ紀行（По Уссурийскому краю）』や『デルスー・ウザラー（Дерсу Узала）』の著者であるヴラヂーミル・クラーヴヂエヴィチ・アルセーニエフによって、弟アレクサーンドル・クラーヴヂエヴィチのハバーロフスク来訪に際して、植えられる」。ちなみに、ヴラヂーミル・アルセーニエフと同じくハバーロフスクの郷土博物館の館長を務めた地元の猟人作家フセーヴォロド・シソーエフは、その一九一一年の秋に烏克蘭で生を享け、恰度百年後の二〇一一年の白寿の春にハバーロフスクで天に召されており、私には、その谷地梻が、露西亜革命や西比利亜出兵を潜り抜けて一世紀余りその一隅に佇んで人や馬や橇や車や月や星の運りを瞶めてきた一人の古老に想えてくるのでした。

中心街

ハバーロフスクの目貫き通りは、ソ連時代にはカール・マルクス通りと呼ばれていたムラヴィヨーフ＝アムールスキイ通り。東西比利亜《シベリヤ》総督を務めて清国に瑷琿《アイグン》条約（一八五八年）を認めさせたりした露西亜帝国の政治家であり外交官であり軍人であったニコラーイ・ムラヴイヨーフ＝アムールスキイ伯爵の名を冠するこの通りの東の端は、鳥撃ち帽《キャスケット》を冠《かぶ》ってポケットに右手を突っ込んだ革命家レーニンの小ぢんまりとした像が彳《た》つレーニン広場（旧 自由広場）で、この噴水のある矩形《くけい》の広場の周りには、赤い煉瓦の美しい市立第三病院（旧 実科中学校）、『中央の《ツェントラーリナヤ》』という好立地のホテル、壁が白っぽいせいかホワイト・ハウス《ベールイ・ドーム》とも呼ばれるハバーロフスク地方庁舎、極東国家公務員養成アカデミー（旧 ソ連共産党ハバーロフスク高等党学校）、古典主義建築の風韻《ふういん》を帯びた極東国立医科大学、『本の世界《クニージヌイ・ミール》』という町で一番大きな書店が、レーニン像を起点として時計廻りに竝んでいました。ムラヴィヨーフ＝アムールスキイ通りの西の端は、今は聖母就寝大聖堂《ウスペーンスキイ・ソボール》が矗立《ちくりゅう》するアムール河畔のコムソモーリスカヤ（別名 大聖堂《ソボールナヤ》）広場で、町で一番古い通りであるシェフチェーンコ（旧 岸辺《ベレゴヴァーヤ》）通りを一本隔ててその広場の西に隣接する半円形の展望台からは、季節に応じて趣きを変えるアムール河

（黒龍江）が一眸に収められます。或る冬の黄昏どき、没り日を見ようとそこに佇んでいると、シックなオーヴァー・コートに身を裹んだ見知らぬ若い女性が、いつの間にか隣りに現れて石の手摺りへ倚り掛かり、大河の彼方へ沈みゆく紅い仄日を恰で聖像画へ対うように一心に瞶めていたので、バルビゾン派の画家ジャン＝フランソワ・ミレーの『晩鐘』の祈りの情景を連想しつつ、舂く夕陽そのものではなく落暉に映えるその韶しい面差しにすっかり心を奪われたことでした。さて、このムラヴィヨーフ＝アムールスキイ通りは、端から端までゆっくり歩いても精々二十分ほどの繁華街で、そこをぶらついているとよく顔見知りの誰かと擦れ違ったり立ち話しをしたりするのでしたが、そんなときには、「町の大きさは、お祭りの縁日で四、五分置きに知り合いと擦れ違うくらいが恰度いいんですよ」という北海道新聞のハバーロフスク支局長だった方の言葉が想い出され、そういう意味ではハバーロフスクはそれとなく住人同士の顔が見える程好い大きさの町なのかも知れない、と想うのでした。また、中心街では、余所の町からやってきた露西亜人と想われる人から道を訊ねられることもありましたが、そんなときには、日本人に道を訊かれて自分が外国人ではなく普通の人間になったことを感じた、という日本に帰化した米国出身の著名な日本文学者の言葉が、想い起こされるのでした。

虎函

日本人に道を訊かれて自分が外国人ではなく普通の人間になったことを感じた、という或る米国出身の日本文学者の言葉を捩ったら、露西亜人に虎函へ入れられて自分が外国人ではなく普通の人間になったことを感じた、という言葉が泛かびました。まだソ連の時代、晩に何処かでちょいと酔っ払って放吟したくらいで、蹴球で云えば警告の黄札は仕方ないとしても退場の赤札はないだろう、と想っていたのですが、ＹＡ３（ウリヤーノフスク自動車工場）製と想われる烟り色のジープに乗せられて緩い坂道の中腹にあるフルーンゼ通り九十八号棟の古風な赤煉瓦造りの警察署へ連れて行かれたことがありました。東の空が白むまで独りで留め置かれた広々とした房は、どこか日本のローカル線の鄙びた駅の待ち合い室のような長閑やかな趣きがあり、小暗い廊下に面した鉄の格子はとても風通しが好く、三方の壁には紅いペンキがところどころ剥げた木製のごつごつした長椅子が造り附けられており、東京の鳥居坂保護所か何処かの黝んだ鋼色で統一された冷たい感じの虎函にはない明るい色彩を帯びて柔らかな詩情すら漾わせていました。この両者の差は、木の机とスチールの机の質感の違いに似ていたかも知れません。ちなみに、露西亜語で、虎函すなわち沈酔者一時収容所は、「酔い醒ましの場所」と呼ばれていますが、豚函すなわち警察署の留置所は、俗に「猿函」と称されています。さて、上述の房へ移される前には、大部屋で形だけの事情聴取のようなものが行われ、異邦人の虎は珍しいのか、閑そうな警官が鳩(あつ)まってきて、旺(さか)んに私に話し掛けて日本のことをいろいろ訊いてくるのでしたが、若(も)しかすると、すでに日ソの国交は結ばれていてもまだ東西の冷戦は続いており、両国が謂(い)わゆる「鉄のカーテン(ジェレーズヌイ・ザーナヴェス)」で隔てられていた時代だったからこそ、そうした束の間のお喋りに花が咲いたのかも知れません。遠来の旅人のように歓迎されてすっかり気を好くした私は、そのとき胸に挿していた万年筆をまだ邪気(あどけ)なさの残るそのうちの一人に所望されるままにプレゼントしました。金色の巻き毛がどこか詩人のセルゲーイ・エセーニンを想わせる水色の襯衣(シャツ)を着たその青年があのペンで綴ったのは、息子の帰りを一日三秋の想いで待ち侘(わ)びる郷里の母親への手紙、それとも、片想いの乙女への切ない戀文でしょうか。

格子

ソ連崩壊の余韻に包(つつ)まれていた一九九〇年代初めの或る日、プーシキン通りの寓居から隣りのゴーゴリ通りを跨(また)いでウスーリ並木路(ブリヴァール)五十八号棟の食料品店(ガストロノーム)に併設されている酒売り場へ罎麦酒(びんビール)を買いに行くと、先客の若い男が、暴漢除けの格子(レショートカ)越しにぽっちゃりとした可愛らしい売り子さんと愉しそうに言葉を交わしていました。売り場には、その二人と私の三人しかおらず、西へ昃き始めたばかりの陽の光りが厚い硝子を二重に張った透明な壁からたっぷりと射し込んでおり、至って平和で長閑やかな午后のひとときが微睡んでいるようでした。ところが、その御仁は、お喋りに夢中でなかなかその場を離れず、私のことなどお構いなしというより、私の存在に気附いてすらいないようでした。売り子さんも、会話をそこそこ愉しんでいる容子でしたが、男の背後で順番をじりじりして待つ私のことがだんだん気になってきたのか、格子越しにこちらをちらちら見るようになりました。私は、別に急いでいるわけではありませんでしたが、赤の他人の男女の睦言を聞かされながらいつまでも案山子のように突っ立っているわけにもいかず、男の肩越しに売り子さんへ「すみませんが、麦酒をください」と静かに告げました。すると、その男は、逆鱗に触れられたように私のほうへがばっと向き直り、凄まじい形相で「麦酒を飲むのは、馬鹿だけだ！」と吐き棄てるように云い、売り子さんは、困ったような申し譯なさそうな微笑みを泛かべるのでした。どうやら、その御仁は、私の存在に気附いてはいたものの、どうせこの貧相な亜細亜の異邦人は露西亜語も解らず会話の内容も分からんだろうから放っておけばいいくらいに考えていたようです。ふらりとそこへ迷い込んだ野良犬か何かのように。私は、なんでこんなことを云われなくてはならないのだろうと想いつつ、遣り切れない気持ちで罎麦酒を手提げ袋に蔵うと、負け犬よろしく悄々と這う這うの体でその場を立ち去りました。せめてもう少し巧みに露西亜語が操れたなら、犀利な言葉で相手の急所を衝くこともできたのでしょうが、あれで好かったのかも知れません。理不尽なことに決して屈してはならないという父の遺訓には見事に背(そむ)いてしまいましたが、そんな瑣細(ささい)なことに一一拘(いちいちかかず)らっていたら、罵(ののし)り合いどころか殴り合いともなり兼ねず、命が幾つあっても足りないでしょうから。その国営の食料品店は、やがて民営化されてスーパー・マーケットになりましたが、すっかり顔馴染みとなったその売り子さんは、その後もずっとその店のレジ係り(カーッサ)として働き続け、私が酒肴(しゅこう)や烟草(たばこ)を買いに行くといつもにこやかに接してくれて、祝祭日には「祝日、お愛でとう(ス・プラーズニコム)」とか「新年、お愛でとう(ス・ノーヴィム・ゴードム)」といった挨拶を交わすようになりました。あれから二十余年の光陰が流れ、お互いそれなりに年歯(ねんし)を累(かさ)ね、嘗(かつ)ての格子も姿を消しましたが、その売り子さんのレジスターを通るときには、あの格子越しに泛かんでいた困ったような申し譯なさそうな微笑みが、目交(まなか)いを過(よぎ)るのでした。記憶を揺(ゆ)する呼び鈴のように。

忘れ物

或る日、あれこれ買い物をした最後にスーパー・マーケットの酒売り場で罎麦酒(びんビール)を何本か買ったときに、余所(よそ)の店で買った冷凍のコーリュシカすなわち胡瓜魚(キュウリウオ)をうっかり台の上に置き忘れてしまいました。帰宅してから気附いて、翌日、レーニン通り四十三号棟のその店へ行ってみると、なんと売り子さんがにこやかに冷凍庫からその魚を出してきてくれました。後日、平素お世話になっていたハバーロフスク在住の日本人のカトリックのシスターさんたちにその話をすると、こちらが喫驚(びっくり)するほど歓喜され、ふと、アレクサーンドル・ソルジェニーツィンの短篇小説『マトリョーナの家』の末尾の「私たちは、みんな、彼女の隣りで暮らしながらも分からなかった。彼女が、それなくしては村も町も凡てこの世も成り立たない、まさに義(ただ)しき人であることを。」という一文が、奇蹟という二文字と共に泛(う)かんだことでした。それから、或る年の春、一月ほどの休暇を過ごした日本から戻り、閉め切っていた寓居の窗(まど)を開け放って旅装を解くと、新潟空港の免税店で購(もと)めてハバーロフスクの空港の荷物検査を通ったはずの酒や烟草(たばこ)や菓子を入れた紙袋がありません。翌朝、半ば諦めつつ妻と三十分ほどトロリー・バスに揺られて空港へ行ってみると、なんと遺失物保管庫にちゃんと収まっていたので甚(いた)く感激し、思わず係りの女性にチョコ・ボールを一箱差し上げたことでした。落し物や忘れ物が無事であることは、日本では珍しくありませんが、掏(す)りや置き引きの絶えない當時の露西亜では稀有なことに想えました。忘れ物というと、當たり前のことのなかに寓(やど)る奇蹟のことを想います。

公園

寓居からプーシキン通りを隔てて指呼(しこ)の間(かん)にあるヂナーモ公園は、空港と繁華街を結んで町の脊骨となっているカール・マルクス通り、ヂコポーリツェフ通り、ウスーリ並木路(ブリヴァール)、プーシキン通りという四条の通りに囲まれた緩やかな傾斜を有(も)つ広々とした公園で、夏は蹴球(サッカー)場や陸上競技場として冬は屋外アイス・スケート場として使用されるスタヂアムやテニス・コートや野外音楽堂や遊戯施設(アトラクツィオーン)や人造池といった人工物はあるものの、町の中心にありながら手附かずの自然に恵まれた市民の憩いの森となっており、そこでは、春には林檎や梨の白い花が綻(ほころ)び、夏には赤啄木鳥(あかげら)が木を啄(ついば)み、秋には白樺が黄色い葉を落とし、冬には細いスキーを履いて樹間を縫(ぬ)う人の姿が見られました。私は、妻と中央食料市場へ行くときには、この公園を横切ってからカール・マルクス通りを渡り、Ａ・Ｐ・ガイダール記念児童公園を右手に見ながらレーフ・トルストーイ通りを歩いていましたし、或る年の夏には、毎朝、上はＴ襯衣(シャツ)で下は空手道着にサンダルいう軽装でその公園へ行き、當時はプーシキン通り三十八号棟にあった日本国総領事館の裏手の草生(くさふ)に寝転んだり跣足(はだし)になって八段錦(はちだんきん)という中国古来の体操をしたりしてから、ゆっくりとその辺を歩きながら木肌に手を触れたり耳を當てて樹液の音を探ったりしていましたから、この公園は、私にとって友人か戀人のように近しい存在でした。また、プーシキン通りの自宅からハバーロフスクで唯一の古書店と想われるカール・マルクス通り四十九号棟のその名も『古本屋（ブキニースト）』へ行くときには、南から北へ対角線を引くようにこの公園を斜めに横切ります。その古書店は、『本の世界（クニージヌイ・ミール）』というレーニン広場の傍の新刊書店の支店であり、高い天井からは、十五世紀後半頃の中央亜細亜の詩人で哲人のミール・アリー・シール・ナヴァーイーの「この世に本より愛しき友はなし。(**Милее книги в мире друга нет.**)」という名言を記した厚紙が吊り下がっていました。あれは、帰国を間近に扣（ひか）えた早春の暮れ合いでしたか、乏しい蔵書を売り払うためにリュック・サックを背負って何日か足を運んでいたその古本屋からの帰りしな、ヂナーモ公園の青い影のような雪を踏んでとぼとぼと歩いていると、ぎぃこぎぃこと勢いよく鞦韆（ぶらんこ）を漕（こ）ぐ少女と一瞬目が合いました。漕ぎ方が余りにも一心不乱で口辺が妙に淋しげだったので思わず心が揺れましたが、若（も）しかすると、その少女は、失戀の泪を鞦韆で振り払おうとしていたのかも知れません。さて、ソ連時代、アムール河畔のコムソモール広場の北に隣接した緩斜面の緑地には、ソ連軍管区将校会館の公園があり、武張った重厚な門柱に設置された窗口（まどぐち）で券を買って入場すると、右手に逆V字の鉄柱に支えられた古びた観覧車があって、一度だけ、知り合いの露西亜人の少女とそれに乗ったことがありました。乗り籠（ゴンドラ）には、窗も屋根もなく、ペンキの剥げた鉄の手摺りと腰掛けの板切れがあるだけで、足許（あしもと）の床板の継ぎ目からは、下界の街が透けて見え、私は、生きた心地がしないのでしたが、少女は、全く平気な容子で、「怕いの？」と揶うように訊ね、漸っと一廻りしてやれやれと想っていると、「もう一遍」と宣うので、二人は、また宙を漂うのでした。どこかシャガールの絵のように。その後、少女は、地元の教育大学の美術学部へ進み、私は、相変わらず放送局の仕事に翻弄され、観覧車は、いつの間にか消え去っていましたが、或る日、レーニン通りで邂逅した彼女は、観覧車の乗り籠ならぬ四輪の乳母車に可愛い赤ん坊を乗せていて、確り地に足が着いているようでした。

手

振り上げた手のひらに救われる。

ソ連へ移り住んでほどなく、ニュー・ヨーク在住の日本人の画家から届いた手紙への返信に、そんな他愛ない一行の詩を添えたことがあります。街角で実際にあったことを言葉で素描しただけですが、異国で暮らし始めたばかりの私には、何気ない腕の一振りが慈雨のように感じられることがありました。若しかすると、その詩には、ユーリイ・ノルシテーイン監督の短篇アニメーション映画『話の話』に登場して手を振り上げながら光りの中へ消えていく鉛筆のように痩せた旅人のイメージが畳（かさ）なっていたのかも知れません。ところで、手と云えば、河豚（フグ）の競（せ）りは、袋に手を入れて秘めやかに行われるそうですが、ハバーロフスクでは、誰にも見えない握手を交わしたことがありました。ホテルのレストランで催された或る日本人の歓送会がお開きとなって記念写真の撮影に移ったとき、後ろに組んでいた私の手を背中越しに握るその人の手がありました。それは、腑甲斐無（ふがいな）い私の前途を案じたうえでの無言の聲援（エール）のようであり、目だけではなく手も口ほどに物を云うことを感じさせられた瞬刻でした。爾来、私には、ロベルト・シューマンのピアノ曲『ダヴィッド同盟舞曲集』のレコードに針を落とすたびに、あの秘密の握手が想い出されるのでした。

足

ハバーロフスクの市民の足と云えば、近年は、路線辻自動車（マルシルートノエ・タクシー）を約（つづ）めてマルシルートカと称される乗り合いのマイクロ・バスもよく利用されていますが、嘗（かっ）ては、専らバスかトロリー・バスか路面電車（トラムヴァーイ）でした。バスの路線は、市内バスと近郊バスが夫々（それぞれ）三十くらい、ハバーロフスクと他（ほか）の町や村を結ぶ遠距離バスが二十くらいあったでしょうか。バスの車輛は、ソ連時代には専らソ連製か洪牙利（ハンガリー）製で、ソ連崩壊後には露西亜と同じく本国の道路が右側通行で乗降口が車体の右側にある韓国のバスも見掛けるようになり、日本のバスは、一九九〇年代前半に中古の札幌市営バスが走っているのを目にしたことがありますが、本国の道路が左側通行で乗降口が車体の左側にあって不便で危険なせいか、路線バスとしては使われていないようでした。嘗ては、逼迫する国の経済状態をそのまま反映するようなおんぼろのバスが殆んどで、雪道でもないのに放送センターの傍のトゥルゲーネフ通りの急な上り坂で奮闘空しく「えんこ」してしまうバスもありましたが、そんなとき、乗客たちは、愚痴一つ零さずにバスを降りて次の一手ならぬ一歩を考えるのでした。ちなみに、纏まった雪が降ったときには、レーニン通りを走ってきたバスは、いつものように右折してトゥルゲーネフ通りの急な坂を下ってから上り損ねる事態を避けて、放送センターの手前で諦め好くUターンしていきましたが、これは、昔も今も変わらないようです。なお、愛烟家が肩身の狭い想いをする傾向は、露西亜も日本と同じようで、近年は、お仕着せでないポロ襯衣や開衿襯衣の運転手が三角定規みたいな小窓をぱこんと開けて安烟草を吹かしながら気持ち好さそうにハンドルを握るといった長閑やかな光景を頓と見掛けなくなり、一抹の淋しさを覚えます。さて、トロリー・バスは、アムール河畔のコムソモーリスカヤ広場から目貫き通りのムラヴィヨーフ=アムールスキイ通りとカール・マルクス通りを通って空港へ至る一番と鉄道駅からレニングラーツカヤ通りとカール・マルクス通りを通って空港へ至る二番の二つの路線がありましたが、どちらも広大な敷地を有つ市営墓地の前を通っており、空港の周辺にはダーチャ（小屋附きの家庭菜園）が蝟集（いしゅう）しているため、春には、復活大祭（パースハ）のあとの親族追善供養の日（ロヂーチェリスキイ・デェーニ）に墓参りをする人たちで、夏には、ダーチャで採れた胡瓜（キュウリ）や蕃茄（トマト）などの蔬菜（そさい）や和蘭陀苺（オランダイチゴ）や黒酸塊（スグリ）などの苺（ベリー）を山盛りにした馬穴（バケツ）を提げる人たちで、とても混み合うことがありました。トロリー・バスは、電気で奔（はし）るので排気瓦斯（ガス）を出さない環境に優しい乗り物ですが、颯っと発進して加速することがあるので、棒や手摺りに確（しっか）り把（つか）まって足を踏ん張るようにして乗っていました。それから、市内に六つの路線がある路面電車は、バスやトロリー・バスと比べてかなり足が鈍（のろ）いので敬遠する人もいましたが、ちんちんという軽やかな鈴の音やごろごろという重く低い車輪の音を響かせながら庶民の哀歓を運んでいるような風情があり、これがなくなったら、ハバーロフスクならではの緩やかな律動や濃（こま）やかな陰翳が失われてしまうように想われるのでした。ところで、運転手は、バスはたいてい男性ですが、トロリー・バスと路面電車はたいてい女性であり、トロリー・バスの電棍（ポール）を竿のようなもので架線（ワイヤ）へ押し上げたり路面電車の運転席からいったん降りて熟（な）れた手附きで転轍機を動かしたりする嫋（たお）やかで逞（たくま）しい女性たちの姿が、今も瞼裏（まなうら）に灼き附いています。

聲

降りますか（ヴィホーヂチェ）（Выходите）？

ハバーロフスクでは、バスでもトロリー・バスでも路面電車（トラムヴァーイ）でも、少しでも混み合った乗り物から降りるときには、自分の前にいる人にそう聲を掛けるのが礼節（エチケット）でした。聲を掛けずに前にいる人を押し退（の）けるように降車口へ向かおうものなら、かなり怪訝（けげん）な顔をされ、きつく罵（ののし）られるか、そっと窘（たしな）められるかします。そこで、懶（ものぐさ）な私も、乗り物から降りるときには、必ず「ヴィホーヂチェ？」と小さくとも相手に聞こえる聲を掛けるようになりました。知らない人に言葉を掛けるのは、なかなか容易ではなく、そこそこ勇気もいるのですが、繰り返すうちに習慣となり、この一言が自然と口を衝（つ）いて出るようになると、その土地の水が肌に馴染んでいくような感じを覚えるのでした。さて、日本へ帰国してほどなく、白昼にやや混み合った電車に乗っていると、初老の白面（しらふ）の紳士が、故（ことさ）らにではないのでしょうが、後ろから私の肩に軽く打（ぶ）つかって前へ進んでいきましたが、そうしたことは、露西亜では、酔っ払いでない限り考えられませんでした。日本では、それまでにも、ランドセルに背負われたような学童に電車の中で打つかられたことはありましたが、いい大人にそんなことをされた記憶はなく、私は、かちんとくるよりぽかんとするばかりでした。そして、そのまま電車に揺られながら、あんなときには一言聲を掛けさえすればその場の空気も和むのに、などと勝手なことを考えるのでしたが、次の刹那、ひょっとするとあの人は生まれ附き口が利けないのかも知れない、などと想いもするのでした。逆に、露西亜で生まれ育った妻は、日本では電車が駅に停まると乗客同士が無言で体を入れ替えて滑らかに乗り降りできることにいつも感心しています。慥かに、日本には、昔から肚藝や傘傾げや以心伝心や阿吽の呼吸といった言葉があり、日本人には、別に云わなくても分かってもらえるという想いが頭の片隅にあるのかも知れませんが、バスの降り方一つ取っても、露西亜人にもそれが通用するとは限らないような気がします。

鋼索鉄道

滑らかに体を入れ替えるものと云えば、単線交走式のケーブル・カーが想い泛かびます。ケーブル・カーは、露西亜語ではフニクリョール（фуникулёр）ですが、この単語を目にし耳にするたびに、私は、伊太利亜のヴェズーヴィオ火山にフニコラーレすなわちケーブル・カーが敷設されたときに宣伝用の曲の制作を依頼されたルイージ・デンツァの有名な俚謡（りよう）『フニクリ・フニクラ』の男聲合唱が音楽室から渡り廊下へと長閑（のど）やかに流れていた高校時代を想い出したものでした。鋼索鉄道（フニクリョール）は、旧ソ連圏では、具琉耳（グルジヤ）のトビリシ、亜塞爾拝然（アゼルバイジャン）のバクー、拉脱維亜（ラトヴィヤ）のツェーシス、里都亜尼亜（リトアニヤ）のヴィリニュスやカウナス、烏克蘭（ウクライナ）のキーエフやオヂェーッサ、露西亜のソーチなどにありますが、露西亜極東では、ただ一ケ所、ヴラヂヴォストークにありました。訪米からの帰途にその町を訪れてそこを「第二の桑港（サン・フランシスコ）」にすることに決めたソ連の最高指導者ニキータ・フルシチョーフの発意に基づいて一九五九年に着工され一九六二年五月に開通したその鋼索（こうさく）鉄道は、金角湾（бухта Золотой Рог）を望む鷲が丘（сопка Орлиная）の山腹にありますが、それは、鷲の巣（Орлиное Гнездо）展望台へ観光客を運ぶ手段であるばかりでなく市民の大切な足ともなっており、傍（かたわ）らにある極東国立工科大学の学生が大勢利用しているせいか、車内の雰囲気は、なんとなく階段教室の一部をそのままケーキのように縦に切り取ってきたかのようでした。擦（す）れ違う部分だけ隻眼（せきがん）がぱっくり開いたようにレールが二股（ふたまた）となっている傾斜の急な単線を同時に上り下りする二台の車輛は、列寧格勒（レニングラード）で製造されたもので、その色は、嘗（かつ）てはどちらも白だったそうですが、今は一輛は赤でもう一輛は青となっています。この鉄道は、長さは百八十三米（メートル）、高低差は七十米、運行時間は七時から二十時、運行間隔は平日が三分で休日が五分、乗車時間は纔（わず）か一分半ほどで、鉄道というよりも斜めに昇降する見晴らしの好いエレヴェーターといった感じでした。

ちなみに、三百六十八段の急な階(きざはし)が、線路に竝行(へいこう)して併設(へいせつ)されているそうです。さて、私が初めてその鋼索鉄道に乗ったのは、二〇〇七年七月二日のことでした。その日は、アルセーニエフ博物館での露西亜極東巡回展『北海道・四季の美』の展覧会初日(ヴェルニサージ)に合わせて来訪された北海道北方博物館交流協会の方々をヴラヂヴォストークの空港で見送った後(あと)、同宿したホテル『アクフェス西洋』で退館手続き(チェック・アウト)を済ませ、重いリュック・サックを背負ってルースカヤ通りの肉や魚や青果や雑貨の露店が竝ぶ市場をゆっくりと抜け、最寄りの二番川(フトラーヤ・レーチカ)駅から ヴラヂヴォストーク行きの郊外電車に乗り、空(す)いた車内の匚席(はこせき)で見掛けて降りしなに扉口で片言の日本語で話し掛けられたレーフ・トルストーイの『復活』の主人公カチューシャを想わせる斜視の乙女と一番川(ピェールヴァヤ・レーチカ)駅の歩廊(プラットフォーム)で別れ、土地の高低差や立体感が反映されない平面の地図を読み倦(あぐ)ねているとやはり日本語で聲を掛けてくれた青年に道順を教えてもらい、北西から南東へ向かってオストリャーノフ大通りから赤旗大通りへ抜けてゴーゴリ通り四十一号棟のヴラヂヴォストーク国立経済サーヴィス大学を訪(おとな)い、前庭の一隅に設けられた標札附きの樹木に囲まれた辻公園のような空地に衣架(ハンガー)で吊られたみたいにすっくと彳(た)つ中華風の詰め衿の黒い長衣(ちょうい)をぴったり身に纏(まと)って喉笛の下辺りに右手を當てて沈黙を放っている流竄(るざん)の詩人オーシプ・マンデリシタームの立像の前に荷と腰を下ろし、リュック・サックから録音機(ヴォイス・レコーダー)を取り出して台座に刻まれている碑文とこの詩人の短い作品の拙(つたな)い抄譯を放送用に録音し、それを了(お)えるとそのままゴーゴリ通りの緩やかな上り坂を金角湾(ゾロトーイ・ローグ)に向かって南へ歩き、漸(ようや)く鷲の巣展望台に辿り着いたものの乳のような濃い霧に包(つつ)まれたため湾内や対岸のチェルカーフスキイ半島を望むことは叶わず、金色の丸屋根と十字架を頂く鐘楼を背に大きな十字架を両側から挟む形で文字教本を手にして佇(た)つスラヴ圏最古の文字の考案者である聖メトディオスと聖キュリロスの兄弟の記念像を拝(おが)んだだけで鋼索鉄道の上の乗り場へ向かう半地下の通路へ潜(もぐ)ったのですが、電灯のないその薄暗がりで、蓋(ふた)を展(ひら)いた楽器函を路上に置いて鶴の脚のような台に譜面を広げてギターを爪弾きながら哀しげな歌を唱う一人の辻音楽師に出遇いました。投げ銭をしてからインタヴューをさせてもらって立ち去ろうとするのですが、『八月（Август）』や『朔風（Ветер северный）』や『別れの円舞曲(ヴァーリス)（Вальс расставания）』といった懐かしいソ連の作曲家ヤーン・フレーンケリ（Ян Френкель）の抒情的な作品が次々と流れ始めるたびに後ろ髪を引かれて足が動かなくなるのでした。余談ながら、帰国後に読んだ堀江敏幸さんの短編集『ゼラニウム』（朝日新聞社）に収められていた『薔薇のある墓地』という作品で「いや、どのような町であれ、等高線の引かれていない地図では想像もできない起伏を味わうことに歩行の愉楽がひそんでいるのだろうが」との一文に出逢ったときには、まさにこのヴラヂヴォストークの漫(そぞ)ろ歩きで無意識に感じていたことを忌(い)みじくも云い當ててもらえたような気がしたものでした。さて、漸(や)っと乗り場まで歩を運んで下りの鋼索鉄道の車輛に乗り込み、女性の車掌さんから切符(ビレート)を買って席に着いて録音機(ヴォイス・レコーダー)を取り出したのですが、あれよあれよという間に一言も喋らないまま下の乗り場に着いてしまいました。仕方なくそのまま降りると、左手の辻公園のほうから若者たちの歓聲が聞こえてきたので、そちらへ足を向けると、今しがた卒業したばかりの極東国立工科大学の学生たちが、「卒業生（男子ならВЫПУСКНИК、女子ならВЫПУСКНИЦА）」というキリール文字（キリーリツァ）の染め抜かれた真紅のリボンを襷（たすき）のように肩から斜めに垂らしたスーツ姿で、細（ささ）やかな宴を張っており、彼らは、一緒にどうぞと旺（さか）んに手招きしてくれたので、私は、紙洋盃（コップ）に酌んでもらった三鞭酒（シャムパン）でみんなと乾杯し、録音機の内臓マイクを向けてインタヴューをさせてもらい、お土産に干し葡萄入りの美味しい板チョコまで貰ってから、左手に海を感じながら閑静なプーシキンスカヤ通りを中心街のスヴェトラーンスカヤ通りへと蹌踉（よろ）めきつつ歩き始めるのでした。

中央市場

例えば、ハバーロフスクの駅前広場から路面電車（トラムヴァーイ）に乗って二つ目の停留所『市場（ルィーノク）』で降りると、進行方向の左手すなわちアムール河に向かって左手に中央食料市場があります。そこは、プーシキン通りとアムール竝木路（ブリヴァール）とレーフ・トルストーイ通りによって三方をコの字形に囲まれた一角で、番地で云えば、レーフ・トルストーイ通り十九号棟の屋内の市場と屋外の露店が犇(ひし)めく一帯です。一九九一年のソ連崩壊の前夜、この界隈には、マルセル・カルネ監督の仏蘭西(フランス)映画『天井桟敷の人々』の第一部『犯罪大通り』を想わせる猥雑で世紀末的な雰囲気が漾(ただよ)い、そこでは、如何様師(いかさまし)が偽客(さくら)の交じった客を相手に段ボール箱の上で不透明な洋盃(コップ)と骰子(さいころ)を狡(ずる)そうに操っていたり、俊敏(はしこ)そうな少年が手裡(しゅり)に忍ばせた卑猥な写真を擦(す)れ違いざまにこちらへ見せて売り附けようとしたり、中国人マフィア同士の抗争が因(もと)で刎(は)ねられた生首が芥函(バーク)から出てきたという噂が流れたりしていました。やがて、国家の体制が社会主義から資本主義へ移り、市場の原理が幅を利かせるようになると、中央食料市場も、専ら品物を商う場という本来の姿に戻り、そこへ行けば、基本的な食料品ならだいたい何でも購(もと)めることができました。米も麵麭(パン)も、肉も魚も、蔬菜(そさい)も果物(くだもの)も、鹽(しお)も砂糖も、油も黄油(バター)も、酒もジュースも、菓子も抓(つま)みも。屋内の市場には、朝鮮系の人たちがキムチや萌(も)やしや巻き寿司を売る一隅がありましたが、いつからか、中国系の人たちが何処(どこ)かで作っているという豆腐もそこで売られるようになりました。ちなみに、豆腐は、露西亜語では「豆腐(トーフ)（тофу）」或いは「大豆の牛乳豆腐(ソーエヴィ・トヴォローグ/トヴォーログ)」と呼ばれていました。さて、その豆腐は、日本の豆腐よりずっと大きくて固いので、なんだか白い煉瓦みたいでしたが、昆布を鍋に敷いて湯豆腐にすると、火酒(ヴォートカ)によく合いました。或る日、妻が外出している間(あいだ)に、この豆腐で油揚げを作ろうとしたのですが、巧くいかなかったうえに瓦斯焜爐(ガスこんろ)の周りやリノリウムの床が油塗(まみ)れになってしまい、爾来(じらい)、我が家では、油揚げ作りはご法度となりました。さて、屋外の露店では、胡瓜(キュウリ)

や蕃茄、人参や青椒、馬鈴薯や甘藍、葡萄や苺など、農場やダーチャ（小屋附きの家庭菜園）で採れるさまざまな旬の青果が売り買いされますが、「うちの胡瓜くんは、捥ぎたて。無農薬で、それは美味しいんだから。この青菜ちゃんも、持っておいき」といった人懐っこい売り子さんたちの口にする飾らない露西亜語には、自分で産み育てた物に対する親心のような温もりが感じられました。屋外には、生花や種苗、工具や釣り具、部品や小間物、古銭や徽章、骨董品や年代物の茶炊などを鬻ぐ店もありましたが、或るとき、素見していた露店の奥から「何を探してるの。こんなのもあるよ」と聲を掛けられたので、振り向くと、色褪せた指揮棒のようなものが天幕の梁から吊る下がっています。輪切りにして火酒に半月ほど浸け込むと極上の強壮酒ができるというその一物は、なんと赤鹿の陽茎だそうで、よく見ると、慥かに、干した杏子のようなものが根元に二つぶら下がっているのでした。

ビュビュ

若しかすると、あれは、私娼窟のようなところだったのでしょうか。今から想えば、社会主義はもう消滅したものの資本主義はまだ確立していないソ連崩壊後の混迷を極める「苦難の九十年代」を生き延びるために、国民は、己が自恣、命懸けだったのかも知れません。そして、安定した職場でぬくぬくと特権を享受する公務員のように巧いこと口を糊することができない氾れ者ならば、已む無く裏街道へ足を踏み入れて日蔭者となってしまうこともあったのではないでしょうか。或る晩、どうしたわけか迷い込んでしまったその一隅では、孵ったばかりの蟬のような女性の露わな半身が、梨地硝子の向こうで妖しく蠢き、仕切り役らしき青年の股間には、皮を被った腸詰めのような抜き身が、時代の角笛のように哀しく垂れていました。「仏蘭西のドストエーフスキイ」こと、シャルル＝ルイ・フィリップには、巴里を舞台に苦学青年のピエールと娼婦のベルトとその紐であるビュビュが織り成す人生模様を描いた『ビュビュ・ド・モンパルナス』という小説がありますが、「モンパルナスのビュビュ」ならぬ「ハバーロフスクのビュビュ」は、今も達者でいるだろうか。その幻の巣窟のあったレーフ・トルストーイ通り四十一号棟の空から見たらL字形のスターリンカ（スターリン時代に建てられた集合住宅）の緩く傾斜した中庭を、チーズの角でも切り落とすようにレーフ・トルストーイ通りからカール・マルクス通りへと斜めに横切る際には、そんな想いがふと脳裡を擦めるのでした。

匕首（あいくち）

或る朝、手紙と新聞を取りに階段を下り、深緑よりも濃い鉄色のペンキが塗られた集合郵便受けの自分の函の南京錠を解き、蝶番（ちょうつが）いで留められた蒲鉾（かまぼこ）の板よりも分厚くて真ん中に円い孔の空いた縦長の木の蓋（ふた）を左手前へ九十度ほどぱかんと展（ひら）くと、柄（え）の部分が水浅葱（みずあさぎ）色のかなり使い込まれたナイフが、ごろんと横たわっていました。一瞬、ぎょっとしましたが、取り敢えず、手に把って寓居へ戻りました。持ち重りのするそのナイフからは、持ち主の心の重みがじんわりと伝わってくるようで、ふと、阿部完市の「少年来る無心に充分に刺すために」という句が想い泛（う）かびました。生きていると知らないうちに他人（ひと）の心を深く傷つけてしまうことがあるものですが、凡漢（ぼんつく）で気の廻らない私は、まさにそんな族（やから）であるらしく、一本の匕首（あいくち）という一通の私怨（しえん）の「手紙」は、そのことを更めて私に告げているようでした。切れ味の鋭そうなその錆びていないナイフを古新聞で幾重にも包（くる）んでゴーゴリ通り沿いの近所の芥函（バーク）へ抛（ほう）り込んだ後（あと）も、暫（しばら）くは、日本人か露西亜人か分からないその「少年」にいつも物蔭から竊（ぬす）み見られているようで不気味でしたが、そのうちに、いつまでも姿を見せないその「少年」のことはけろりと忘れてしまいました。若（も）しかすると、そのナイフは、意趣返しでもなんでもなく過（あやま）って我が家の郵便函へ投げ入れられただけであり、これは、単なる妄想で編まれる私の他愛ない「狂人日記」の一頁に過ぎなかったのかも知れません。

傘

帰国して初めての冬に、雪の日に傘を差す人の姿をテレヴィで目にしたとき、雪の質が違うせいか、露西亜ではそうした光景を見掛けなかったことに想い至りました。ハバーロフスクに降る雪は、さらさらの粉かふわふわの綿のようで、雪の飛礫(つぶて)や達磨(だるま)がなかなか作れないほど湿り気がありませんでした。雨の質は、日本も露西亜も似たようなものでしたが、少々の雨では傘を差さないという人は、露西亜のほうが多いような気がします。さて、ハバーロフスクで私が最初に買った傘は、ムラヴィヨーフ＝アムールスキイ通りの中央百貨店(ツーム)で見附けたセルリアン・ブルーの折り畳(たた)み傘でしたが、まずは、ソ連にも折り畳み傘があったことに感心し、さらに、手許の四角いジャムプ・ボタンを押すと中軸(シャフト)がぎゅんと伸びて傘の花がばさっと展(ひら)く手品のような仕掛けに駭歎(がいたん)したものでした。それは、親骨(リブ)も支骨(ストレッチャー)も傘布(かさぬの)も露(つゆ)先(さき)も確(しっか)りとした申し分のない傘でしたが、ずっしりと重いのだけが玉に瑕(きず)で、デイ・パックや肩掛け鞄(ショルダー・バッグ)に入れて持ち運ぶには不便でした。傘と云えば、ソ連が崩壊してほどない頃にこんなことがありました。或る日、近所の食料品店(ガストロノーム)のレジ(カーッサ)で麵麭(パン)の代金を支払っていると、見知らぬ老女が、私が売り台の縁にJ字形の柄を引っ掛けておいた透明なビニール傘をこっそり持ち去ろうとしていました。彼女は、私に気附かれたことに気附いて逃げ腰にはなったものの悪怯れた容子もなく、傘からそっと手を離すと薄笑いを泛かべて悠々と扉口の外へ消えていきましたが、私は、毒気を抜かれて開いた口が塞がらないまま、「これは私の傘です」と初歩の露西亜語の例文のような言葉を放つこともできず、夢幻能か不条理劇の舞台で老媼の亡霊と円舞曲でも一踊りしたかのような面妖な感覚に囚われるのでした。ちなみに、ハバーロフスクに雨が降り灑ぐたびに想い出されたのは、いわさきちひろの絵本『あめのひのおるすばん』、少年時代を過ごした浦和市西郊の団地の土瀝青や運動場から仄かに立ち上る埃の匂い、須賀敦子の『トリエステの坂道』所収の「雨の中を走る男たち」に登場する傘を有たない伊太利亜の男たち、そして、ソヴェート・ヌーヴェル・ヴァーグ映画の傑作であるマルレーン・フツィーエフ監督の『七月の雨（Июльский дождь）』（一九六六年）の雨寓りを切っ掛けとする男と女の出逢いの場面でした。

母子

或る夏の午下がり、給料が振り込まれる日だったので路面電車の線路沿いのシェローノフ通り六十七号棟の貯蓄銀行でそれを下ろしてからレーニン通り四号棟の放送センターへ向かって歩いていたときのことでした。街路樹の梢が気持ちよさそうに風に嫋(そよ)ぐその通りで、塔(タ)吉克(ジク)人か吉爾吉斯(キルギス)人でしょうか、身形(みなり)や顔立ちから中央亜細亜からの移民か難民と想われる大家族のような一群と擦(す)れ違いました。先頭を行く少年が手にする横半分に切断した透明なペット・ボトルに紙幣と硬貨が入っていたので、何の気なしに自分も十留(ルーブリ)紙幣を入れたところ、一群の中にいた一人の若い母親が、赤ん坊を抱いたまま放送センターの前の栄光広場まで私を趁(お)いかけてきて、「私にも」と息を切らして告げました。「さっき、あの子にあげたんだよ」と応えると、「あの子は、余所(よそ)んちの子」と掻(か)き口説(くど)くように告げるので、財布を覗いたところ高額の紙幣しかなく、それは差し上げられないので困っていると、彼女は、いきなり私の足許(あしもと)に跪(ひざまず)いて沓(くつ)に接吻したり力尽(ちからづ)くで財布を奪おうと腕を伸ばしたりするので、私は、殺気すら感じて血の気が引きそうでしたが、顔見知りの地元の国営ラヂオ局の如何にも押しが強そうで女横綱という渾名が似合いそうなヴェテランの女性アナウンサーが、たまたまそこへ行司かレフェリーのように通り掛かり、間髪を入れずに一喝してその母親を私から引き離してくれたのでした。私は、窮地を拯(すく)ってくれた彼女に「スパシーボ（有り難う）！」と云ってから、鐚(びた)一文出さなくとも好かったのに柄(がら)にもないことをして罰が當たったに違いない自分に向かって「自業自得」と呟(つぶや)きました。その日の仕事帰りに、平日には子供らがどこかクリケットや三角ベースを想わせるラプター（лапта）という昔ながらの露西亜の球技に興じて休日には大人らが夏は草蹴球(サッカー)に冬は雪蹴球に夢中になるレーニン通り三十九号棟の第十二番学校の校庭を横切っていると、チェーンの外れた自転車を哀しげに押してくる少年に「小父さん（ヂャーヂェニカ）、手を貸して（ポモギーチェ）！」と云われました。自転車のチェーンに触れたことなど久しくありませんでしたが、何度か試みるうちに油と埃に塗（まみ）れた鎖が巧いこと歯車（ギヤ）に嵌（はま）ってくれました。何でもない出来事でしたが、昼間にあんなことがあったせいか、「有り難う（スパシーボ）！」という少年の一言は、ふっと心を軽くしてくれる魔法の杖のようでした。

看板

ソ連時代には、そのものずばりという店の名が多いようでした。商店は、社会主義国なので殆（ほと）んど国営であり、食堂には「食堂（ストローヴァヤ）」、本屋には「本（クニーギ）」、沓（くつ）屋には「沓（オーブフィ）」、花屋には「花（ツヴェトィー）」、麺麭（パン）屋には「麺麭（フレープ）」、牛乳屋には「牛乳（モロコー）」、魚屋には「魚（ルィーバ）」か「大洋（オケアーン）」、青物屋には「蔬菜と果物（オーヴォシチ・イ・フルークトィ）」というキリール文字（キリーリッツァ）だけの飾り気のない看板が掛かっているのでしたが、人や物や金が犇（ひし）めく東京に倦（う）んでいた身には、余計な物のない素朴さが、却って新鮮で好もしく感じられました。けれども、そうした表記だけでは物足りなかったり不便だったりするせいか、それらしい味のある名の附いた店もありました。セールィシェフ通りには、鉄道大学の向かいの七十四号棟に『メロディー（メローヂャ）』というレコード店と『ヴァレンチーンとヴァレン（ヴァレンチーン・イ・ヴァレン）

チーナ』という日用雑貨店がありましたが、後者の名は、ミハイール・ローシチンの同名の戯曲を原作とする未成年の男女の戀の行方（ゆくえ）を描いたソ連映画の題名から附けられたものと想われます。この通りには、十一号棟に『猟人（オホートニク）』という狩りや釣りの用具の専門店もあり、私は、低徊（ていかい）の途中に立ち寄っては半立（リットル）入りのスキットル（フリャーシカ）を眺めたりしていました。レーニン通りには、慥（たし）か四十九号棟に『軌道（オルビータ）』という電化製品の店、隣りの五十一号棟に『ネプトゥーヌス（ネプトゥーン）』という海の幸のレストランがありました。ヴォロチャーエフスカヤ通りには、百十八号棟に『哈爾濱（ハルビン）』という中華料理店がありましたが、そこは、一九八九年の秋に前任のご夫妻と後任の私のために有江逸郎さんが幹事となって日本課で歓送迎会を催してくれた懐かしい店で、中国産の麦酒（ビール）の大罎（びん）の透き徹る碧（あお）や龍蝦片（えびせん）の紅（べに）や翠（みどり）などの鮮やかな色彩が、記憶に残っています。ザパーリン通りには、ウスーリ竝木路（ブリヴァール）との角の五十五号棟に『地球儀（グローブス）』という小さな輸入書専門店があり、職場への往き復りに覗いては、日本の古書などを漁ったものでした。繁華街のカール・マルクス（現 ムラヴィヨーフ＝アムールスキイ）通りには、レーニン広場（旧 自由広場）の傍の五十号棟に『噴水（フォンターン）』という落ち着いた雰囲気のカフェがあり、そこは、戀人同士らしい若者たちでいつも混み合っていました。この通りには、ザパーリン通りとの角のザパーリン通り七十八号棟に『ウスーリ』という露西亜料理店がありましたが、そこでは、閉店後に分厚い木の扉を敲（たた）いて開けてもらって店長らしき小父さんとカウンターで一緒に飲んだこともありました。ウスーリとは、露中国境を北流してハバーロフスク附近でアムール河と合流する大きな河の名で、その店からザパーリン通りの緩やかな坂を暫く下ると、やはりウスーリという名の美しい並木路へ出るのでした。少々脱線しますが、入局したての頃、職場の若い露西亜人技師が、母親が働いているというその店へ仕事の帰りに私を誘ってくれました。客室と厨房の間の賄い部屋のようなところへ案内されると、直ぐに酒と料理が運ばれてきて、電信柱のように痩せて背の高い彼の「インテルナツィオナリーズム（国際主義）に乾杯！」という勇ましい音頭で細やかな宴が始まり、ほどなく酔いの廻った私は、支局内で「ザゴーン」と呼ばれている謂わば宿題のような翻譯用の原稿を抱えていたにもかかわらず、「コースチャ（私の露西亜語の愛称）、家へ行こう！」と云われるままに、人戀しさも手伝ってか、彼とその友人と三人で中心街からバスに乗って鉄道駅前のターミナルで七番のバスに乗り換えて彼の家へ向かいました。そこは、ハバーロフスク北西部のベリョーゾフカという場末の町の慥か二戸一棟の棟割り住宅のバスとトイレとキッチンの附いた二間の住居で、如何にも若い男の独り暮らしといった感じの殺風景な居間には、ソファーやテーブルや本棚といった家具らしきものはなく、絨毯もリノリウムも敷かれておらず木の板にペンキが塗られているだけの床には、円形の金属製の電気鍋と矩形のポータブル式のレコード・プレーヤーだけが直かに置かれていて、プレーヤーの周りには、ＬＰレコードが何枚も折り畳なるように散らばっているのでしたが、彼は、歌う詩人ヴラヂーミル・ヴィソーツキイのレコードを拾い上げた私の目を凝っと矚め、指と甲の骨が折れそうなほど強く私の手を黙って握り、音盤をジャケットから抜いてターン・テーブルへ載せて針を縁へ落とし、直ぐ隣りの電気鍋で在り合わせの肉や野菜を炒めて酒の肴のようなものを拵(こしら)えるのでした。彼は、「ザゴーン」を抱えている私に狭い寝室(スパーリニャ)の奥の卓上灯の置かれた机を充(あ)てがってくれましたが、私は、かなり酔っていたうえに、アンドレーイ・タルコーフスキイ監督の映画に出てくるような牧羊犬(シェパード)が頻(しき)りに部屋へ入ってきて膝に乗ったりするので、ピョートル・チャイコーフスキイ作曲のバレエ音楽『くるみ割り人形』を紹介する音楽番組のためのその原稿をなかなか翻譯することができず、とうとう譯文が未完成のまま夜明けを迎えてしまいました。その朝は、早々と三人で職場へ向かったのですが、中心街の彼の友人の家へ寄って西比利亜風餃子(ペリメーニ)の朝食をご馳走になったときに食前酒だか迎え酒だか分からない火酒(ヴォートカ)までいただいてしまい、ジェルジーンスキイ通りの放送局の翻譯室へふらふらと足を踏み入れた途端に、タオルを投げられたＴ Ｋ Ｏ(テクニカル・ノックアウト)負けのボクサーのように早退(そうたい)を告げられてしまいました。何とも情けない話ですが、後にも先にも早退がその一遍きりだったことは奇蹟という他(ほか)ありません。

スタヂアム

ハバーロフスクには、スタヂアムが幾つかありました。市の東部のゴーリキイ町のスタヂアム『黎明（ザリャー）』（ヴォローフスキイ通り十七号棟）では、在留邦人の有志によるソフト・ボールの試合が行われたことがあり、市の中心部から少し東南に外れたスタジアム『青春（ユーノスチ）』（コロリョーフ通り四号棟）では、二〇〇三年の夏に、日ロ交流協会とハバーロフスク市役所の共催で少年蹴球（サッカー）大会が開かれて、静岡県清水市と北海道函館市のチームと地元の二チームの四チームによる総當たり戦が行われました。市の中心部のスタヂアム『ヂナーモ』（カール・マルクス通り六十二号棟）は、夏には、陸上の競技会や消防の訓練などが行われ、冬には、スピーカーから陽気な音楽の流れる屋外アイス・スケート場となり、一九一〇年に日本に併合された朝鮮が一九四五年に解放されたことを祝う八月十五日の光復節には、大きな鞦韆（ぶらんこ）が設（しつら）えられて朝鮮の民族色に彩られた運動会が催されることもあり、近くには、数面のテニス・コートの他（ほか）に、十三米（メートル）離れた位置から細長い棒を投げて陣地内に置かれた五本の円筒形の木製の標的（ピン）を弾（はじ）き出すゴロトキーという露西亜の昔ながらの競技のための一隅も備えていました。ちなみに、ゴロトキーは、どこか九柱戯や十柱戯を想わせますが、ボウリングとは違って、投げるものが球ではなく棒であり、標的の竝べ方にも、矢、鎌、星、井戸、海老、熊手、射的、哨兵、大砲、飛行機、砲兵隊、機関銃巣（きかんじゅうそう）、火箭（ロケット）、曲　軸（クランク・シャフト）、封緘（ふうかん）された手紙など、いろいろな形があるようです。ともあれ、ハバーロフスクで一番大きく最も親しまれているスタヂアムは、スポーツのイヴェントの他に、祝祭日に因んだ催しや花火大会や野外コンサートも行われて、菓子や飲み物の露店やシャシルィークと呼ばれる串焼き肉の屋台が竝ぶこともある、レーニン名称スタヂアムでしょう。アムール河畔のこのスポーツ複合施設の広大な敷地には、国内リーグに所属するチーム『極東軍管区軍スポーツクラブ（ＣＫＡ）』のホーム・グラウンドである蹴球場、射撃場、ヨット・クラブ、テニス・コート、アイス・ホッケー場、屋外温水プール、屋内陸上競技場、中国総領事館などがあり、正門の手前の右手には、極東国立体育大学がありました。ソ連時代、私は、知り合いのカップルに誘われて、生まれて初めてアイス・ホッケーの試合を観に行きましたが、その頃は、二〇〇三年に竣工して近年はコンチネンタル・ホッケー・リーグ（ＫＨＬ）に所属するアイス・ホッケー・チーム『アムール』のホーム・リンクとなっているスポーツ興業コムプレックス『プラチナ・アリーナ』（ヂコポーリツェフ通り十二号棟）はまだなく、レーニン名称スタヂアムのアイス・ホッケー場で行われたハバーロフスクの『極東軍管区軍スポーツクラブ（ＣＫＡ）』と北朝鮮の代表チームのその試合は、体力で迥かに勝る地元チームの圧勝に了わり、私は、ソ連以上に深刻かも知れない北朝鮮の食糧事情を想ったことでした。余談ながら、入局してほどなく、ホッケーに関する原稿の読み合わせのときか何かに、スポーツ好きの上司から、露西亜でホッケー（хоккей）と云えば普通は草上のホッケー（хоккей на траве）ではなく氷上のホッケー（хоккей на льду）を指すことや、氷上のホッケーにはパックを用いるアイス・ホッケー（хоккей с шайбой）とボールを用いるバンディ（хоккей с мячом）があることを教わりました。ハバーロフスクでは、アイス・ホッケーの起源とも云われるバンディの人気も高く、熱心なファンは、防寒着に身を包（つつ）んで氷点下の屋外スタヂアム『石油産業従事者（ネフチャーニク）』（オルジョニキーゼ通り十四号棟）でホーム・チームの『極東軍管区軍スポーツクラブ（スカー）・石油産業従事者（ネフチャーニク）』に聲援（エール）を送り、二〇一三年には、待望のバンディ専用の屋内スタヂアム『エロフェイ・アリーナ』（プロトーチナヤ通り4号棟）も完成したようです。バンディは、氷上のフィールド・ホッケーといった感じで、規則（プラーヴィラ）は蹴球と似ており、試合の時間は前後半四十五分づつで、選手の数はゴール・キーパーを含めて一チーム十一人で、直径六糎（センチ）ほどのオレンジ色などのプラスチック製のボールをスティックで相手のゴールへより多く入れたほうが勝ちとなります。スティックは、への字形のアイス・ホッケーのそれが烏賊（イカ）やバラライカを連想させるとすれば、しの字形のバンディのそれは章魚（タコ）やマンドリンを連想させます。バンディは、一九五二年のオスロ五輪の公開競技となり、ハバーロフスクでは、一九八一年（第十二回）と二〇一五年（第三十五回）に世界選手権が開催されています。さて、レーニン名称スタヂアムの屋外温水プールは、コースが八つある五十米の競泳用のプールで、高飛び込み用のプールも併設されていましたが、一般市民に開放されているのは、競泳用のプールのほうで、受け付けの窓（まど）口で料金を支払い、ロッカーのある脱衣所で水着に着替え、消毒液の匂う浄化槽に首から下を涵（ひた）し、プールと同じ水位の温い水に下半身を浸けたままアンジェイ・ワイダの映画『地下水道』を想い出させる小暗(おぐら)い水路を進むと、漸(や)っと明るいプールの中央の縁に出られるのですが、その辺りは最も水が深くて全く足が立たないので、余り泳げない私は、プールの縁(へり)かコース・ロープに摑まって蟹のようにスタート台のある浅いほうへ移動したものでした。スタヂアムの北門まで行けば、夏は波が舟を揺らし冬は鴉(カラス)が雪に舞い降りるヨット・ハーバーがあり、正門の傍(そば)のアイス・ホッケー場の裏の坂を上れば、十九世紀後半に建立されたハバーロフスクで最初の石造の聖堂でソ連時代の一九六〇年代から一九九〇年代にかけては天象儀(プラネタリウム)として使われていたインノケーンチイ聖堂があり、南門を出て直ぐ右手の斜(なぞへ)を上れば、ムラヴィヨーフ＝アムールスキイ像の前の懸崖のテラスからアムール河が一眸(いちぼう)に収められるのでした。

博物館

ハバーロフスクには、アムール河畔のシェフチェーンコ（旧岸辺(ベレゴヴァーヤ)）通り十一号棟にＮ・Ｉ・グロデーコフ名称ハバーロフスク地方博物館（旧ハバーロフスク地方郷土博物館）という総合博物館があり、そこでは、同地方の自然や民俗や歴史などを多面的に紹介する常設の展示が行われている他(ほか)、近隣諸国の文化や藝術に照明を当てる特別のイヴェントが催されることもあり、例えば、二〇〇八年の夏には、北海道北方博物館交流協会主催の北海道の自然と植物をテーマとした露西亜極東巡回展『北海道・四季の美』が催されています。その年の十月四日には、旧館と同様に赤い煉瓦の美しい新館が直ぐ隣りにオープンし、新館では、常設展の他に企画展も盛んに行われおり、例えば、二〇一三年の夏から秋にかけては、ブラティスラヴァ世界絵本原画展の「金の苹果（リンゴ）」賞（一九七五年）やライプツィヒ国際図書博覧会の金章（一九七七年）などを授与されておりフィレンツェ・モザイクの匠（たくみ）としても知られる露西亜人民美術家ゲンナーヂイ・パヴリーシンの展覧会が催されました。また、大河の畔りの博物館らしく、魚類の展示も充実しており、新館に設けられた『アムール博物館』では、川魣（カワカマス）、鯎（イトウ）の仲間であるアムール鯎（タイメーニ）、レッド・データ・ブックに掲載されている満洲川眼張（マンシュウカワメバル）、アムール河にのみ棲息していて成長すると重さが一瓲（トン）以上になり「魚の王様」とも呼ばれるダウリア蝶鮫（カルーガ）などが、水槽で泳いでいます。二〇〇五年には、市内の太平洋漁業研究センター内に八十〜九百立（リットル）の三十七の水槽からなる水族館『アムールの魚たち』が開設され、そこでは、百二十五種を数えるというアムール河流域に棲息する魚のうち、麦魚（メダカ）、川穴子（カワアナゴ）、沼鰈（ヌマガレイ）、川姫鱒（カワヒメマス）、満洲鱒（マンシュウマス）、大陸縞泥鰌（タイリクシマドジョウ）など七十五〜九十五種の魚を目にすることができます。ちなみに、麦魚は、露西亜語ではそのままメダーカ（медака）若（も）しくは米　魚（リーソヴァヤ・ルィーブカ）と呼ばれるそうです。さて、トゥルゲーネフ通り八十六号棟には、地方博物館の分館に當たる考古学博物館があり、ソ連の傑出した歴史・考古・民族学者であるアレクセーイ・オクラードニコフの名を冠する同館では、遺跡から発掘された土器や道具の展示やさまざまな時代を再現するジオラマを通して、古(いにしえ)の人々の暮らしが紹介されています。なお、嘗(かつ)てレーニン通り十五号棟にあった地質学博物館は、地方博物館に吸収されたようです。また、地方博物館と同じシェフチェーンコ（旧岸辺）通りには、二十号棟に赤旗勲章受章・極東軍管区歴史博物館があり、その道向かいの七号棟に極東美術館がありますが、この美術館は、露西亜、西欧、極東先住民族、太平洋地域諸国などの多彩な藝術のコレクションを備えており、ナーナイ、ウデヘー、ウーリチ、エヴェーン、エヴェーンク、ネギダール、チュークチャ、エスキモースといった民族の伝統的な衣装や工藝品、露西亜正教会のさまざまな聖像画(イコーナ)、ジャン＝バティスト・カミーユ・コローの『川のある風景』、アルブレヒト・デューラーの『逍遙』、ローザ・ボヌールの『乳牛 樹木』、レンブラント・ハルメンス・ファン・レインの『自画像』などの西欧の絵画、ヴィークトル・ヴァスネツォーフの『飛竜(ズメーイ)ゴルィーヌィチ』（エスキス）、アルヒープ・クイーンジの『黒海での漁(すなど)り』、ボリース・クストーヂエフの『花壇のある風景』、ピョートル・コンチャローフスキイの『風景 アブラームツェヴォの木工所』、イヴァーン・シーシキンの『松林』、ヴァシーリイ・スーリコフの『哥薩克(コサック)』（『エルマークの西比利亜(シベリヤ)征服』のための習作）、コジマー・ペトローフ＝ヴォートキンの『漁夫の娘』、ヴァシーリイ・ポレーノフの『エレファンティナ島からのナイルの浅瀬の眺望』、コンスタンチーン・マコーフスキイの『女性の肖像』、イリヤー・レーピンの『ニヒリストの学生』（『宣伝家の逮捕』

のための習作）といった露西亜の絵画を所蔵しています。さて、露西亜極東のもう一つの中心都市ヴラヂヴォストークには、鉄道駅からほど近いスヴェトラーンスカヤ通り二十号棟（アレウーツカヤ通りとスヴェトラーンスカヤ通りが交わる角）に、嘗ては横浜正金銀行の浦潮支店が置かれ今は黒澤明監督の日ソ合作映画『デルスー・ウザラー』の原作者ヴラヂーミル・アルセーニエフの名を冠する沿海地方国立総合博物館（通称「アルセーニエフ博物館」）があり、美しい煉瓦造りのこの博物館でも、郷土を紹介する常設展の他(ほか)にさまざまな企画展が催されており、上記の露西亜極東巡回展『北海道・四季の美』もそこで行われました。また、駅前広場からピェールヴァヤ・モルスカーヤ通りの坂を暫(しばら)く上ってアルセーニエフ通りへ左に折れると右手の七 6(ベー)号棟にアルセーニエフ記念館があり、そこで家族と暮らしたこの紀行作家を偲ぶことができます。二〇〇七年九月初旬に同館を訪ねたときには、アルセーニエフ生誕百三十五周年記念の催しに出演する女性歌手が、アルセーニエフが探検に赴く際にマルガリータ夫人がいつも歌っていた『行かないで、私と共にいて（Не уходи, побудь со мною）』（詩 ミハイール・ポーイギン、曲 ニコラーイ・ズーボフ、一八九九年）という露西亜の革命前の抒情的小歌曲(ロマーンス)を歌ってくれました。「行かないで、私と共にいて、／ここはとても愉しく、とても明るい。／私は接吻で蓋(おお)う／唇を、眼も、額も。／私と共にいて。／私と共にいて！／／行かないで、私と共にいて、／私は疾(と)うから貴方(あなた)を愛している。／貴方(あなた)を私は火のような愛撫で／炎(も)え立たせ、ぐったりさせる。／私と共にいて。／私と共にいて！／／行かないで、私と共にいて、／私の胸の内で激情が炎え盛る。／愛の歓喜が私たちを待っている。／行かないで、行かないで。／私と共にいて。／私と共にいて！」それから、金角湾に臨むカラベーリナヤ海岸通りには、この町が軍港であることを想い出させる潜水艦Ｓ－56博物館があり、現役當時のままに保存された艦内を仔細に見学することができます。さて、二〇〇一年の晩夏には、「東清鉄道（КВЖД）の建設活動とハルビンにおける都市空間の形成・変容プロセスに関する研究（一八九八～二〇〇〇年）」という日中露三国共同研究の現地調査団に同行して黒龍江（アムール河）最大の支流である松花江（スーンガリ河）の畔りに位置する中国東北部の中心都市である哈爾濱をハバーロフスクからの直行航空便で訪い、その際には、駅前のターミナルから路線バスに一時間ほど揺られて南郊の平房区にある『侵華日軍七三一部隊遺址』という常設の展示施設を見学する機会に恵まれました。本部大楼にある展示室では、日本の侵略戦争の過程で炭疽菌などの細菌を用いる兵器や爆弾の研究と開発が行われて大勢の中国人や朝鮮人や蒙古人や露西亜人の捕虜や囚人が「丸太」（人体実験の被験者）にされた容子が、残存する器具や模型によって再現されており、日本で出版された七三一部隊関係の書物を陳列する一隅では、「當時の日本人に欠けていたのは、自分の良心の聲に従って立ち向かう抵抗の精神であった。」という或る日本人の言葉も紹介されていましたが、水を打ったように静まり返った館内は、無辜の民の無言の呻きが谺しているようで、残暑のために吹き出していた汗がすうっと干いたことでした。その一月ほど前には、アムール河下流域に暮らす先住少数民族ウーリチ人を取材する共同通信の記者と撮影者に同行してボゴローツコエという町を訪い、その際には、地元の郷土博物館を見学する機会に恵まれ、高床式の納屋、熊(くま)祀(まつ)り用の仔飼いの熊の小屋、干し魚用(ユーコラ)の台、鹿の脛(カームス)（はぎ）の皮を貼ったスキーといった展示を通して、嘗(かつ)てアムール河流域の先住民族と蝦夷(えぞ)地のアイヌの間(あいだ)で行われていた山靼(さんたん)交易の時代へ想いを馳せたことでした。二〇〇六年の真冬には、日本のテレヴィ局の取材班に同行して極北のサハ共和国の主都ヤクーツク(ヤクーチヤ)を訪い、その際にも、現地の博物館や展示施設を見学する機会に恵まれました。一月二十五日の午前中には、市の中心部から車で二十分ほどの凍土(メルズロートナヤ)通り三十六号棟にあり建て物の前で鼻を振り上げた毛象(マンモス)の像が雪を冠っていた露西亜科学アカデミー・西比利亜(シベリヤ)分院・永久凍土研究所を訪問し、この研究所の地下十数米(メートル)のところにある天然の永久凍土層を見学しました。そこは、気温が零下七度で、天井は、氷の結晶に覆われ、鍾乳石を想わせるそれら結晶は、鳳梨(パイナップル)くらいの大きさになると落ちてくるということでした。永久凍土層は、気温を常に一定に保つことができるため、そこに設けられた一室には、稀少な物を含む世界のさまざまな植物の種子が保存されているそうです。マールク・チャーツ主任研究員の説明に依れば、地球の陸地の二十パーセント、露西亜の六十五パーセント、サハ共和国の九十五パーセントは、永久凍土層に覆われており、サハ共和国では、夏は永久凍土層の表面が融けて地盤が弛(ゆる)むため、建て物を高床式住居のように深い杙(くい)の上に建てる工法が用いられているとのことでした。ユーモアのセンスに溢れたチャーツさんの「サハ共和国は、冬は寒く夏は暑いですが、とても好いところです。気候に好し悪しはなく、あるとすれば悪い衣服でしょう」という一言が印象的でしたが、その言葉がソ連の人気喜劇映画『職場戀愛（Служебный роман）』（エリダール・リャザーノフ監督、一九七七年）で主役を演じるアリーサ・フレーンドリフの歌う『自然には悪い天気はなく（У природы нет плохой погоды）』（詩 エリダール・リャザーノフ、曲 アンドレーイ・ペトローフ）の詩を踏まえていたことを知ったのは、だいぶ後のことでした。その日の午后には、クラコーフスコヴォ通り四十八号棟にあるサハ共和国学アカデミー・北方応用エコロジー研究所・毛象博物館を見学しましたが、小ぢんまりとした空間を巧く活かした館内には、毛象や古代犀の全身骨骼、二〇〇五年の愛知万博に出展された後に東京のお台場でも展示されたユカギール毛象の頭部のレプリカ、永久凍土層から出土した毛象の毛の生えた皮膚や蹠、古代生物に関する文献や資料などがすっきりと展示され、研究室の硝子函には、古代のレーナ馬の頭が保管されていましたが、二万九千年前のその馬の拉げた湯湯婆のような頭は、淡い青銅色を帯び、その洞ろな眼差しは、太古の沈黙を湛えているようでした。

芥（ごみ）

芥（ごみ）は、九階建てのブレージネフカ（ブレージネフ時代に建てられた集合住宅）では、階段ごとに設えられているダスト・シュート（ムソロプロヴォード）へ、五階建てのフルシチョーフカ（フルシチョーフ時代に建てられた集合住宅）では、傍らに置かれているコンテナ（コンテーイネル）と呼ばれる五右衛門風呂を四角くしたような金属製の黒っぽい芥函（バーク）へ、全く分別されずに投げ込まれ、それらの芥は、ときどき巡ってくる塵芥収集車によって郊外の芥捨て場（スヴァールカ）へ搬ばれていきました。フルーンゼ通りの社宅は、ダスト・シュート（ムソロプロヴォード）式でしたが、芥を運ぶ手間が省けて便利な反面、投入口や内壁にいつも芥が附着しているような気がして、しかも夏場には腥（なまぐさ）い臭気を放つので、とても不衛生な感じがしました。後（のち）に移り住んだプーシキン通りの住宅は、コンテナ式でしたが、芥を運ぶ手間が掛かって不便な反面、日當たりも風通しも好い空地に芥函が置かれているせいか異臭が気になることもなく、しかも係りの人が芥函の周りをいつも綺麗に清掃してくれているので、とても衛生的な感じがするのでした。どちらにも一長一短がありますが、私なら、迷わずに後者に軍配を上げます。塵芥収集車は、小さくしたらそのまま洒落たミニ・カーになりそうな柿色のダムプ・カーで、私は、車体の横から伸びる鉄腕が芥函の縁を摑んでゆっくりと持ち上げて半孤を描いて荷台へどさっと芥を投げ落とすのに見惚れることがあり、そんなときにはデイ・パックから写真機を取り出してシャッターを切ったものでしたが、運転席から作業員の小父さんに鬼の形相で睨まれて物凄い剣幕で呶鳴られてからは、撮るとしても車だけにして人は写さないように気を附けるようになりました。私がソ連へ移り住んだ一九八〇年代の末には、日本ではすでに芥の分別収集が行われていましたから、罎も罐も卵の殻も野菜の屑も切れた電池や電球も一緒くたに同じ函へ捨てることに抵抗がありましたが、他にどうしようもなく、そのうちに慣れてしまいました。露西亜極東の二大都市であるハバーロフスクとヴラヂヴォストークの行政府が、それまでは芥捨て場に捨てるだけだった芥の処理に本腰を入れるようになったのは、二〇〇〇年代の後半だったような気がします。例えば、ハバーロフスクでは、米国のシアトルから基幹プラントを導入して芥の集積と分別と圧縮を行う施設を市内の三ヶ所に設けて二〇一〇年の秋に始動させるという計画が立案され、ヴラヂヴォストークでは、二〇一二年のアジア太平洋経済協力会議（APEC）サミットを扣えて一部の地区で芥の分別収集システムが試験的に導入されて使用済みの蛍光灯や水銀体温計を専用のモジュールに捨てられるようになったりプラスチック・ボトル用の黄色いコンテナや古紙用の青いコンテナが設置されたりするようになりました。とは云え、露西亜極東における本格的な芥処理の事業はまだ緒に就いたばかりという印象を覚えます。ちなみに、芥と云えば、土曜労働という言葉が想い出されます。土曜労働は、露西亜革命後ほどないソ連で始められた勤労奉仕のことで、ソ連時代には、毎週土曜日に行われていた時期もあったそうですが、ソ連崩壊後も、祝祭日を扣えた土曜日などに土曜労働と称する自主的な清掃作業が公園などで行われることがありました。

小包み

日本から小包みが届くと、郵便局から書面で通知がありました。通知書は、日本の小型切手シートほどの大きさの薄っぺらい紙で、上のほうには、通知を意味する「ИЗВЕЩЕНИЕ（イズヴェシチェーニエ）」というキリール文字（キリーリツァ）が印刷されており、下のほうには、小包みを保管している郵便局の住所が達筆過ぎて読み辛い筆記体で綴られており、中程には、提示する身分証明書（パースポルト）の種類や番号や発給の年月日や機関名などを自分で記入する欄がありました。或るとき、そんな通知が届いたので、私は、いつものように旅券（パースポルト）と空欄を埋めたその紙を持って指定された郵便局へ嬉々（いそいそ）と出掛けたのですが、そのときは、哀しいことに東京在住の露文時代の友人へ送ったはずの数枚のソ連盤のクラシック音楽のレコードの小包みが「あて所に尋ねあたりません」という赤い判子を押されて送り返されてきたのでした。仕方なく一旦それを引き取り、帰宅してからアドレス帖で慥（たし）かめると、住所の一部が抜けていたことが分かり、宛て先を改めてから送り直したのでしたが、私は、楚忽（そこつ）な自分に呆れると共に、ソ連と日本を往復してきた音盤の迴（はる）かな旅路を想ったことでした。小包みと云えば、ソ連時代には、外国からの小包みの中身が抜き取られることもあったようですが、近年は、国際エクスプレス郵便や民間の宅配(ドスターフカ)サーヴィスが普及しているせいか、そうした話を耳にしなくなりました。或る日、日本の聴取者から放送局の日本課宛てに矢鱈(やたら)と重くてたぷたぷと液体のような音のする小包みが届き、さっそく包(つつ)みを解いてみるとなんとパック入りの清酒が五升ほど入っていたので、私は、喫驚(びっくり)仰天して欣喜雀躍すると共に、こんなものまで恙(つつが)なく露西亜へ届くようになったことに隔世の感を禁じ得ませんでした。

郵便

郵便のシンボル・カラーは、英国や日本は赤で、仏蘭西は黄だそうですが、露西亜は青でした。ハバーロフスクでは、ふっくらした直方体のその形がブハーンカという麺麭(パン)にそっくりなことからそんな愛称で呼ばれていたウリヤーノフスク自動車工場製のヴァン型車を青く塗装した郵便自動車が、似たような色の郵便函を巡回し、投函された手紙を取り集めていました。或る小雪の舞う日、女性の作業員が、私もときどき利用している向かいの集合住宅の側壁に設えられた縦長で背負子(しょいこ)で背負えるくらいの大きさの四角い金属製の郵便函から、投函された手紙を取り集めていました。後ろ姿なのでよく見えなかったのですが、どうやら、蝶番(ちょうつが)いの附いた函の底蓋(そこぶた)の錠を解いてその蓋を下へぱかっと開け、予め下に充てがっておいた南京袋のような色合いと風合いと大きさの行嚢(こうのう)へ手紙をどさっと落とし込んでいるようでした。それから、郵便受けは、日本では余り鍵を掛けませんが、露西亜ではたいてい錠が施(ほどこ)されていました。郵便受けには、手紙の他(ほか)に新聞も投入されて、我が家へは、地元のほぼ日刊の有力紙『太平洋の星』(チホオケアーンスカヤ・ズヴェズダー)は午前九時過ぎに印刷所から直かに届けられ、全国紙と地元のほぼ日刊のもう一紙『沿アムール報知』(プリアムールスキエ・ヴェードモスチ)は昼過ぎに最寄りの郵便局から手紙などの郵便物と一緒に届けられましたが、届くはずの新聞が届いていない日もあって、そんなときには、その郵便局へ電話で問い合わせるのでしたが、電話を受けた人は、「配達係りはもう帰りましたから、明日(あす)きっと届けさせます」の一点張りで、埒(らち)が明かないことが殆(ほと)んどでした。とは云え、そんなふうに後れて届く新聞であれ、地方紙にはのんびりとした好さがあり、中央紙には鳥瞰的な眼差しが感じられ、インクの匂いと共に心を盈(み)たしてくれるものがあることに変わりはないのでした。それから、郵便局は、行列(オーチェレヂ)の代名詞のようなところで、年金を受給する人や公共料金を納附する人や小包みを発送したり受領したりする人や切手や葉書きや封筒を購入する人や新聞や雑誌の定期購読を申し込む人や凍て附く寒さを逃(のが)れて暫(しば)し煖(だん)を採る人などで、いつも混み合っていました。ちなみに、年金は、露西亜での就労期間が二十年を超えていれば、女性は五十五歳から、男性は六十歳から、国籍を問わず誰でも受給できる、ということでした。私も、よく郵便局へ足を運んでは、綺麗な切手を漁(あさ)ったり普通郵便や書き留め郵便や受け取り通知附き郵便を送ったりしていましたが、同僚や知人が近々日本へ行くような場合には、日本の切手を貼って幸便（オカージヤ）を頼むこともありました。ところで、人は、長蛇の列に竝んでいるとつい苛々（いらいら）してしまうもので、或るとき、中央郵便局の窓口（まどぐち）で所定の用紙への記入に関する係り員の説明がよく聞き取れずに小包みの受領に手間取っていると、後ろのほうでそんな野呂松（のろま）な私を詰（なじ）るような若い女性の金切り聲が聞こえましたが、私の直ぐ後ろに佇（た）っていた年輩の淑女が間髪を入れずにその聲の主を一喝し、半地階のフロアが水を打ったように静まり返ったことでした。異国語に弄（もてあそ）ばれる見知らぬ異邦人を毅然と庇（かば）うその姿は、露西亜人の気品や美質を表象するものとして今も私の瞼裏（まなうら）に刻まれています。

異邦人

異邦人が露西亜で査証（ヴィーザ）を更新するには、所定の健康診断を受けて医療証明書を取得する必要があり、私も、年に一度、夫々（それぞれ）専門の異なる病院を幾つも梯子（はしご）したものでした。検査には、血液やエイズやレントゲンなどの他（ほか）に性病のそれもありましたが、診察室で云われる通りに立ったまま洋袴（ズボン）を下ろして熟年の女医さんに金属の編み棒のようなものをいきなり鈴口（すずぐち）へ挿し込まれたときには、余りのことに腰を抜かすこともできませんでした。ハバーロフスクには、外国人の出稼ぎ労働者が多いせいか、何処(どこ)の病院もたいてい混み合っていましたが、長い椅子や廊下で所在なく順番を待つ間(あいだ)には、緑化や造園などに従事する日に焦(や)けた吉爾吉斯坦(キルギスタン)や塔吉克斯坦(タジキスタン)や烏茲別克斯坦(ウズベキスタン)といった中央亜細亜諸国の若者たちと触れ合う機会に恵まれました。行く先々の病院で顔を合わせるうちになんとなく親近感が湧いてくると、共通語であるたどたどしい露西亜語で、故郷や家族のことを訊ねたり、蹴球(サッカー)談議に花を咲かせたり、ソ連時代に人気のあった烏茲別克斯坦のＶＩＡ（ヴォーカル・インストルメンタル・アンサムブル）『ヤッラー』の『チャイハナー』や『三つの井戸(ウチクドゥーク)』といった懐かしい流行歌の触りを一緒に口遊(くちずさ)んだりしたことでした。恰(あたか)も、束の間、仕事を忘れて緑苑(オアシス)にでもいるかのように。

熱い陽　熱い沙／熱い唇　せめて水を一口／熱い沙漠に足跡は見えぬ／隊商(キャラバン)の旅人よ　水はいつ？／／ウチクドゥークは三つの井戸／衛りたまえ　我らを日輪から／おまえは沙漠の中の救命浮環(ブイ)／／おや　生命樹　妙なる守護神／それとも　あれは唯の蜃気楼(かいやぐら)／それともあれは疲労の幻視／三つの井戸はなく拯(すく)いはなし／／ウチクドゥークの古老は語る／沙漠にこの瑰麗(かいれい)な邑(むら)が生まれ／碧落(へきらく)を指して屋舎が聳え立ち／造化(ぞうか)自ら目を円くしたさまを

救急車

あれは、かれこれ十年ほど前の五月の彼は誰どきでしたか、ハバーロフスク地方政府・経済発展対外関係省・対外経済関係局の依頼を受けて、日本の経済ミッションのための地元の企業に関する資料を毎日こつこつと露西亜語から日本語へ翻訳していた或る日、朝夙く起床して露台へ向いた四角い換気用の小窓を開けてから窓際の机に向かおうとした矢先に、右の下腹部に差し込むような劇痛を覚え、そのまま机の脇のソファー・ベッドへ仆れ込みました。痛さが半端ではないのでこれは只事ではないと想い、妻に「〇三」に電話をして救急車を呼んでもらうと二十分ほどで救急車が到着し、眼鏡を掛けた中年の中肉で中背の医師がアルミニウム製のアタッシェ・ケースのような鞄を挈げて土足でその部屋へ入ってきて、同伴の若い看護婦さんが直ぐに痛み止めらしい注射を臀部に打ってくれました。一本では効かないようなのでもう一本打たれると少し楽になり、妻に外套を羽織らせてもらって手を曳かれてなんとか救急車に乗り込みました。味爽の街を空港方面へ十五分ほど奔るとハバーロフスク地方立第一病院に着き、受け附けを済ませると直ぐに尿検査をしてくれました。そして、尿に血が混じっているので尿路結石に違いないということでレントゲン撮影をしてもらうと、果たしてその通りでした。薬が効いたらしく痛みは徐々に鎮まり、医師から迅やかに石が出るようによく躰を動かしなさいとの助言を受けると、病院の正面の子供鉄道の線路の脇の停留所から路線バスに乗って妻と二人で家路を辿りました。ちなみに、「小さな極東鉄道」とも呼ばれるこの子供鉄道は、ハバーロフスク建都百周年に當たる一九五八年に開通した全長二粁(キロ)半の狭軌(きょうき)の鉄道で、鉄道員に憧れる少年少女たちによって夏季に三ヶ月ほど運営されており、束の間の旅情を味わうことができます。さて、帰宅して暫(しばら)くすると尿意を催したので雪隠(せっちん)で透明な広口罎(ひろくちびん)の中へ放尿すると、米顆(こめつぶ)よりも小さな金平糖の欠片(かけら)みたいな銀色の石が巧いこと一緒に飛び出してくれました。その日の午后には、日本から旅行で来られた聴取者の方と放送局で会う約束があったので、「行かなくちゃ、きみに逢いに行かなくちゃ、きみの町へ行かなくちゃ、雨に濡れ」という井上陽水の『傘がない』の詩の一節を繰り返しながら、劇痛に見舞われたばかりの躰をおっかなびっくりレーニン通りの職場まで運んでいきましたが、その頃には痛みもすっかり消えていたので、インタヴューに応じてくださったその方も、まさか私が今朝がた救急車で病院へ担ぎ込まれたとは想わなかったことでしょう。後日、埼玉の実家の母親へ国際電話を架けた序(つい)でに今回の件を伝えると、「露西亜もなかなかやるぢゃない」との元看護婦らしい一言が返ってきましたが、幸い、露西亜で救急車のお世話になったのは、それが最初で今のところ最後でした。

ソ連へ渡ったばかりの頃は、生鮮な野菜や果物の不足によって欠乏しがちなヴィタミンを補うために、薬局（アプチェーカ）で手に入るウンデヴィートという甘味と酸味のある黄色い丸剤（がんざい）を呑んだりしていましたが、露西亜で一番お世話になった薬は、インク罎（びん）ほどの大きさの円筒形の硝子（ガラス）罎に入った琥珀色のキンセンカ・チンキでした。台所（クーフニャ）の両開きの硝子窓（まど）の右上の隅にある四角い換気用の小窓（フォールトチカ）の直ぐ下で安い烟草をすぱすぱ喫（す）いながら冷たい麦酒（ビール）をごくごく飲んだりすると、扁桃腺炎（アンギーナ）に罹（かか）ってしまうことがありましたが、そんなときには、薬草の匂いのするキンセンカ・チンキをたっぷりと涵（ひた）した細長いガーゼか脱脂綿をラップか油紙（あぶらがみ）で包（つつ）んだものをさらにタオルで包（くる）んでから首に巻いて静かに臥（ね）ていると、ほどなく患部がぽかぽかしてきていつしか喉の痛みが消えて熱も退いていくのでした。ちなみに、チンキは、酒精（アルコホール）の一種なので酒の代用品にする人もいたそうですが、私は、専ら喉の治療に使っていました。

余談ながら、入局當初、専任の翻譯員の方から「アナウンサーには、喉に好くないので、氷（アイス）菓子（クリーム）はご法度なんですよ」と云われていましたが、人に因（よ）りけりなのでしょうか、私は、氷菓子を普通に食べていて、そのために喉を痛めたことはありませんでした。さて、ハバーロフスクの薬局では、森で採れる種々（くさぐさ）の薬用植物が売られていました。例えば、白樺の幹にできる茸状の瘤で、日本では樺孔茸（カバノアナタケ）とか西比利亜霊芝（シベリヤレイシ）などと呼ばれることもあり、露西亜のノーベル賞作家アレクサーンドル・ソルジェニーツィンの長篇小説『癌病棟』にも出てくる、チャーガ。二〇〇四年の一時帰国の際、友人の妻が癌を患っているという知人に頼まれて、焦げ茶色の粉末が小さな紙の箱に詰められたチャーガを段ボールに一つくらい買っていったことがありました。それから、薬局と云えば、一度、全ソ連国家規格（ゴースト）（ГОСТ）品のルーデ・サックを見掛けたので購（もと）めてみたのですが、売り子さんが迅口（はやくち）で告げた値段がよく聴き取れなかったのでレジ（カーッサ）で適當に代金を支払ったところ、一つ一つ包装されてバスの回数券のように繋がった品物が売り台にどっさり置かれ、私は、一斉にこちらへ濺（そそ）がれる客の膏汗（あぶらあせ）のような視線を背中に感じながらリュックへサックを抛り込むと、元のフレーブニコフ家の貸し家であるトゥルゲーネフ通りとカール・マルクス（現 ムラヴィヨーフ＝アムールスキイ）通りの角の美しい煉瓦造りの建て物（現 ムラヴィヨーフ＝アムールスキイ通り八号棟）の一隅を占めるその薬局の重たい木の扉を押して街路へ逃（のが）れ、淤（よど）んだ空気を吐（は）き出すように一つ大きな深呼吸をしたことでした。若（も）しかすると、それは、「房事は秘め事」という意識が今より支配的な時代ならではの空気だったのかも知れません。

眼

入局して暫くすると、辞書の引き過ぎのせいか、近視と乱視が非道くなり、一九八八年に市の北部に創設されたチホオケアーンスカヤ通り二百十一号棟の眼科マイクロサージャリー・センター（現露西亜連邦保健省・アカデミー会員S・N・フョードロフ名称・連邦国家予算機関・部門間科学技術複合施設『眼科顕微外科』・ハバーロフスク分院）で、顕微外科手術を受けることにしました。角膜を輻射状に切開して視力を恢復させるというその方法は、烏克蘭出身のソ連の眼科医であり露西亜の大統領候補でもあったスヴャトスラーフ・フョードロフが開発したことから、フョードロフ・メソッドと呼ばれています。日本から手術を受けに来る人もいるという同センターの設備は、芬蘭土製とのことで、その内部は、近未来を想わせるシュールでシンプルな造りで、アンドレーイ・タルコーフスキイ監督の映画『惑星ソラリス』の宇宙ステーションの中にいるような気がしました。手術の當日、執刀医の若い男性は、キャスター附きの移動式ベッドに横たわる私にときどき露西亜語で話し掛けてくれて、私は、「それでは、決して目を逸らしたり閉じたりせず、この光りの一点を瞶めていてください。」と云われると、怖じ気を振り払ってその光りを真っ直ぐに瞶めました。その日の左目の手術は、幸い、痛みを伴わずに短時間で了わり、一週間後には、右目にメスが入れられました。術後、暫くは、眼路が暈りとして焦点がずれているように感じられ、手術は失敗したのではとの不安に苛まれることもありましたが、徐々に周りのものがはっきり見えるようになり、やがて眼鏡を掛けなくとも商店の売り子さんの背後の棚に竝んでいる品物の値札の文字と数字が読み取れるようになりました。尤も、目に負担の掛かる読書や翻訳は医師から制められていたので、一月ほど放送局の仕事を息ませてもらい、その間は、殆んど毎日、フィルム式の自動焦点の写真機をぶら提げて街を逍いながら白黒のフィルムで風景や建て物の写真を撮っていました。

パピローサ

パピローサは、長い空洞の吸い口の附いた紙巻き烟草で、複数形は、パピロースィ。少し蘞辛っぽいものの独特の香りがし、比較的手に入り易いこともあって、私は、一時期、左上が青く右下に運河の地図が描かれた真四角の箱に二十五本入った『白海バルト海運河』という銘柄のものをよく喫っていました。そして、一時帰国の際には、新潟駅の立ち喰い蕎麦の匂いに日本へ帰ってきたことを感じ、ハバーロフスクの空港の芥壺で燻ぶっているパピローサの香りに露西亜へ戻ってきたことを感じるのでした。パピローサと云えば、或る暮れ合いに空港と市街を結ぶカール・マルクス通りに沿った場末の道を独りで歩いていると、横合いからのっそりと現れた数人の不良っぽい若者に烟草をせびられたので、衣嚢(ポケット)からパピローサの箱を取り出して人数分だけ配ろうとすると、頭目らしいそのうちの一人に箱ごと毟(むし)り取られてしまったことがありました。彼らは、こちらが呆気に取られている間(あいだ)に勝ち組の野犬の群れのようにその場を離れ、後(あと)には、行き交う車が、負け犬のような私を冷(せせ)ら笑うかのように原動機(エンジン)を吹かし揮発油(ガソリン)の臭いを放ち土埃(つちぼこり)を舞い上げて奔(はし)り過ぎていくばかりでしたが、そのときの後口の悪さは、どこかパピローサの乾いた蘞辛っぽさと似ているところがありました。ちなみに、烟草と云えば、或る年の冬、住んでいた集合住宅で、ぽい捨てに因るものと見られる出火がありました。火事だというので外套を纏(まと)って玄関の扉を開けると、下の階から烟りと熱風が噴き上がってきたため、一階まで駈け下りて玄関口(ポドイェースト)から脱け出すこともできず、三階の寓居の露台(バルコーン)の雪の上で足踏みをしながら妻と共に外套に裹(くる)まって身を顫(ふる)わせていると、ほどなく消防車がサイレンを鳴らしながら到着し、直ぐに火は消し止められました。幸い、玄関口の小火(ぼや)で済みましたが、火元の傍(そば)には剥(む)き出しの瓦斯(ガス)管が通っており、引火していたら木っ端微塵になっていたかも知れません。ちなみに、火事は、露西亜語で「赤い(クラースヌイ)雄鶏(ペトゥーフ)」とも呼ばれていました。

結婚会館

ハバーロフスクへ移り住んでから所帯を有(も)つまでの間(あいだ)、私は、日本を離れる前に東京の友人が紹介してくれた波蘭土(ポーランド)系の乙女の一家に、御茶や御飯をご馳走になったり、空港の近くのダーチャ(小屋附きの家庭菜園)へ連れて行ってもらったり、いろいろとお世話になっていました。その乙女には、ハバーロフスク地方第二の都市コムソモーリスク・ナ・アムーレのチームに所属する蹴球(サッカー)選手である戀人がいて、二人は、ほどなく愛(め)でたく結ばれましたが、その際、私は、婚礼の立ち会い人(スヴィヂェーチェリ)を頼まれ、二つ返辞で引き受けました。季節は、冬の央(さなか)で、私は、日本から遊びに来ていた友人と共に、雪道をプーシキン通り六十二号棟の結婚会館まで歩き、そこでご両人やその家族と落ち合い、暫(しばら)く扣(ひか)え室で一緒に順番を待ち、やがて大広間の両展きの扉が開け放たれると、共に白皙(はくせき)の新郎と新婦は、メンデルスゾーンの結婚行進曲が流れるなか、細長い絨毯の上をしずしずと歩み、正面の壇上でにこやかに待ち受ける女性の係り官に促(うなが)されて愛を誓い合い、立ち会い人である新婦の幼馴染みの女性と私は、ご両人の後ろにくっ附いて黙って彳(た)っているだけでした。その日の晩は、新婦の家で祝宴が張られました。一列に繋ぎ合わされた卓子(テーブル)には、洗いたての真っ白な卓布(クロース)が掛けられ、手料理を盛った大小の皿や酒罎(さかびん)や酒盃(グラス)が透き間なく竝び、そのうちに新郎の僚友(チーム・メイト)も大勢駈け附けて、飲めや歌えや踊れやの娯(たの)しい宴が夜の更けるまで続きました。ちなみに、ソ連の末期には、ゴルバチョーフ政権の禁酒令が布(し)かれていましたが、新郎と新婦には、結婚の當日に限り酒類を好きなだけ買うことが特別に許されていました。それから一年余り経った早春、今度は、自分がそこで式を挙げることになりました。とは云え、それは、破(わ)れ鍋(なべ)に綴(と)じ蓋(ぶた)の二人きりの細(ささ)やかな婚礼であり、披露宴も何もありませんでしたが、帰宅するや、大きな手提げ袋と結婚証明書を携えて脱兎の如く近所の食料品店(ガストロノーム)を目指し、三鞭酒(シャムパン)と火酒(ヴォートカ)とコニャックを両手に提げられるだけ買ってきたことでした。

図書館

東京で云えば、浅草一丁目一番一号の神谷バーのような立地でしょうか、ハバーロフスクの目貫き通りの取っ附きにある極東国立学術図書館（ムラヴィヨーフ＝アムールスキイ通り一号棟）は、パスポートを提示して所定の用紙に記入するという簡単な手続きを済ませれば異邦人でも気軽に利用できるので、ときどきお世話になっていました。「ナウーチカ」という愛称でも呼ばれるこの図書館の重たい木の扉を入って正面のクローク・ルーム(ガルヂェロープ)には、ゴッホが描きそうな感じの係りの人たちが交替で詰めていました。青い上っ張りに安煙草(たばこ)の匂いが染み込んだ小父さんは、私の外套とデイ・パックを無言で叮重（ていちょう）に受け取ると、栗鼠（リス）のような目をして金属製かプラスチック製の引き換え証（ジェトーン）を渡してくれて、飴玉やキャンディー（コンフェータ）を頬張りながら前屈みに台へ凭（もた）れて読書に耽る小母さんは、引き換え証を受け取って渡す物をさっさと渡してしまうと、「さようなら（ダ・スヴィダーニャ）」と告げる私に目を伏せたまま「さようなら（ダ・スヴィダーニャ）」と応えてくれたことでした。さて、そこから歩いて数分のイストーミン通り五十七号棟には、美しい赤煉瓦造りの分館がありました。二階建てのその建て物の一階は、音楽課で、そこでは、楽譜やレコードを借りたり音源をカセット・テープやＣＤに録音（ダヴィング）してもらったりすることができ、二階は、外国図書課で、日本語が戀（こい）しくなると、私は、宮澤賢治の童話や石川啄木の歌集や深沢七郎（ふかざわしちろう）の『人間滅亡の唄』やいわさきちひろの絵本やソ連へ亡命した女優で放送局の遠い先輩に當たる岡田嘉子さんが莫斯科（モスクヴァー）のプログレース出版所で翻譯された小説など借りてきたことでした。その分館は、外国図書課が本館の裏手のトゥルゲーネフ通り七十四号棟へ移ると、全館が音楽課となり、日本の聴取者からリクエストされた曲の音源が弊（へい）局にも地元の放送局にもないときや、露西亜語の歌に譯詩を添えるためにそれらの歌の原詩を歌集や楽譜で探すときに、よく足を運んだことでしたが、白樺の疎林の脇を通って分館へと緩やかに下る坂道と女性の館員の方たちの大らかで濃（こま）やかな応対は、ざらついた街の喧噪を暫（しば）し忘れさせてくれる緑苑（オアシス）のようでした。市内には、他（ほか）に、ピョートル・コマローフ名称中央市立図書館（アムール竝木路（ブリヴァール）三十六号棟）、Ａ・Ｐ・ガイダール名称市立児童図書館（レニングラーツキイ小路九号棟）、視覚障礙（しょうがい）者用図書館（レーニン通り一号棟）といった図書館がありました。さて、極東国立学術図書館の本館の三階には複写室（コピー）があって、帯出禁止の資料を転写する際に利用していましたが、帰国を目前に扣（ひか）えた三月の或る日のこと、閲覧室で調べものをしてからその部屋へ足を踏み入れると、アルバイトの学生さんでしょうか、口の端にピアスをしてジー・パンのポケットから銀色の長い鎖を垂らしたロッカー風の少女が、睡魔に襲われたように机に突っ伏して眠っていました。氷に鎖（とざ）されたアムール河と象牙色（アイヴォリー）の空を縦に截（き）り取る西向きの硝子窓（ガラスまど）からは、光りの束がたっぷりと射し込んで、少女のシルエットが韶（うつく）しく映えています。「あのう、すみません（イズヴィニーチェ）が」と囁いて彼女を静かに起こし、必要な頁を転写してもらっていると、可憐な人物たちが途中まで鉛筆で濃（こま）やかに描かれている画用紙に気が附きました。訊いてみると、インター・ネットで日本の漫画を見ながら独学で描いているとのことでしたが、別れ際に交わした言葉は、早春の淡い聲援（エール）として今も耳底（じてい）を擦めることがあります。ご成功を（ウダーチ・ヴァーム）。有り難う（スパシーボ）。

―――――――――――――――――――――――――――――――― 葱坊主

ハバーロフスクの教会と云えば、今では、東方正教会の古儀式派を含む露西亜正教会の聖堂、西方教会のカトリック教会およびルター派やバプテスト派や再臨派などのプロテスタント教会の集会所、猶太（ユダヤ）教の会堂（シナゴーグ）やイスラム教の礼拝堂（モスク）など、いろいろとありますが、ソ連時代には、鉄道駅の傍（そば）のレニングラーツカヤ通り六十五号棟に露西亜正教会の木造の基督（ハリストス）降誕主教座大聖堂があるくらいでした。ソ連崩壊後は、露西亜正教会の聖堂があちらこちらにお目見えし、二〇〇七年頃に発行されたハバーロフスク市内の教会建築を紹介する一組みの絵葉書きには、次の九葉が収められていました。聖母就寝大聖堂（ソボールナヤ広場一号棟）、基督降誕大聖堂（レニングラーツカヤ通り六十五号棟）、聖人インノケーンチイ・イルクーツキイ聖堂（トゥルゲーネフ通り七十三6（ベー）号棟）、聖公アレクサーンドル・ネーフスキイ＆ダニイール・モスコーフスキイ聖堂（ヤースナヤ通り二十四a（アー）号棟）、聖致命者大公妃エリザヴェータ・フョードロヴナ聖堂（ヴォローネジスカヤ通り四十九号棟）、聖母庇護聖堂（ヴォロゴーツカヤ通り二十八a（アー）号棟）、聖人ニコラーイ教会（プーシキン通り三十四号棟）＆聖マリーヤ・エギーペツカヤ聖堂（ベリョーゾフカ町）、聖セラフィーム・サローフスキイ聖堂（チホオケアーンスカヤ通り六十七号棟）＆聖致命者戦士ヴィークトル・ダマーススキイ聖堂（大ウスーリ島）＆基督復活小礼拝堂（ハバーロフスク墓地）、そして、救世主顕栄主教座大聖堂（栄誉広場）。この救世主顕栄主教座大聖堂は、私が勤めていた放送センターの隣りに聳立（しょうりつ）する金色の丸屋根を頂く白堊の聖堂で、莫斯科（モスクヴァー）の救世主基督聖堂と聖彼得堡（サンクト・ペチェルブールグ）の聖イサアク（イサアキーエフスキイ）大聖堂に次いで露西亜で三番目に丈の高い露西亜正教会の聖堂とのことで、正面に向かって左手には、緑色の尖塔形の屋根が露西亜の碧落によく映える神学校も造られていました。ちなみに、二〇〇七年四月十一日には、（高橋たか子著『私の通った路』にも登場されている）日本人のカトリック枢機卿ステファノ濱尾文郎さんによってヴァチカンからこの聖堂へ聖人金口イオアンの聖骸の小片が運ばれてくるという、露西亜正教会とカトリック教会の融和の兆しを象徴する出来事もありました。ところで、露西亜正教会の聖堂は、葱坊主や擬宝珠のような丸屋根が特徴的ですが、或るとき、日本の聴取者から「露西亜正教会の聖堂の屋根はどうして葱坊主みたいな形なのですか？」との質問が寄せられ、その聖堂の修道司祭インノケーンチイさんに訊ねたところ、こんな応えが返ってきました。「それは、葱坊主というよりも火や焔や蠟燭の形をしている、と云えましょう。なぜなら、人は、聖堂へ足を運んで蠟燭に火を灯すことで自分の信仰を慥かなものにするのであり、露西亜正教会は、人がそこで自分の信仰を慥かなものにする神の恵みの大きな焔である、と云えるから。ですから、聖堂の丸屋根は、葱坊主ではなく焔なのであり、それは、茫邈とした人生の荒波の中でどうやって恙なく安らかに穏やかな港へ行き着くかを指し示す灯台、と云えるのではないでしょうか」。物事を理詰めではなく寓話のように物語るその柔らかな眼差しに、私は、フョードル・ドストエーフスキイの長篇小説『カラマーゾフ兄弟』に登場する美しい修道僧アリョーシャの化身と静かに対話をしているような錯覚に囚われました。

海を知らぬ少女の前に麦藁帽のわれは両手をひろげていたり
――H氏

露西亜語の海を想うときに泛かんでくるのは、寺山修司のこの一首とHさんの眼差し。日本を離れる数日前、露西亜語を学ばれ究められるHさんが私を職場に訪ねてくれて、二人で暮れ合いの神保町界隈をぶらつきました。駿河台の斜を上り下りしながら漸っと探し當てた蕎麦屋の卓子で大罎の麦酒を飲んで蕎麦を食べてから、すずらん通りの大衆酒場の座敷へ移り、胡坐を掻いて梅干し入りの焼酎を啜っていました。別に何を語らうでもなく、心地好い沈黙に身を任せていると、いつもは寡黙なHさんの口から、「露西亜語を覚えるには、少なくとも二十年は掛かりますから」という言葉が、ぽろんと零れました。そのとき、Hさんは、大海を知らぬ井蛙のような私を、そんなふうに励まそうとしてくれたのかも知れません。あの一夕から、その二十年は、疾うに過ぎましたが、私は、今も異国語と母国語の合いを心許なく汎（ただよ）うばかり、という気がしています。

授業

ハバーロフスクでは、言葉を覚えるのに音楽が使われることがありました。アナウンサー・翻訳員という職務の私は、放送局が翻訳員の技能向上のために提供する機会を利用して、週に一度の非番の日である月曜日の午前中に、カール・マルクス通り六十八号棟のハバーロフスク国立教育大学（現 極東国立人文大学）の露西亜語の女性教師による一時間半の個人授業を受けていました。私たちは、大学の構内で落ち合い、空（あ）いている教室を見附け、差し向かいか横並びに腰掛け、私は、ソ連で出版されたセルリアン・ブルーの表紙の露西亜語の教科書を机の上に広げ、先生の後に尾（つ）いて例文を音読したり頁の余白へ書き込みをしたりするのでした。文法のお浚（さら）いが一段落すると、音楽の栞（しおり）が挿（はさ）まって歌を唱わされるのですが、彼女が択（えら）んだのは、露西亜民謡の『バイカール湖の畔り』やソヴェート歌曲の『ウラールの茱萸（ぐみ）の木』といったお馴染みの歌ではなく、教科書にその詩が掲載されていたチーホン・フレーンニコフ作曲の『莫斯科（モスクヴァー）の歌』という聞き馴れない歌でした。『白夜』、『白痴』、『カラマーゾフ兄弟』、『シベリヤ物語』、『トラクター運転手たち』、『クバーニの哥薩克（コサック）たち』といった作品で知られるイヴァーン・プィーリエフ監督の『豚飼い娘と羊飼い（邦題コーカサスの花嫁）』（一九四一年）という白黒の音楽喜劇映画の挿入歌であるこの歌は、旋律がローラー・コースターのように目紛(めまぐ)るしく上り下りしてなかなか覚えられず、或るとき、歌が巧いという若い助手の女性が応援に来てくれましたが、高加索(カフカース)風の凛(りん)とした顔立ちと口辺の髭のような毳(にこげ)に気を取られてさっぱり上達しないのでした。やがて、がらんとした教室の寒さが身に沁みるようになると、授業は、鉄道の駅にほど近い基督(ハリストス)降誕大聖堂の傍の先生の自宅で紅茶とビスケット(ペチェーニエ)やキャンディー(コンフェータ)をいただきながら行われるようになり、いつしか、その歌の調べも、教室の玻璃(はり)のような空気や廊下の学生たちの沓音(くつおと)と共に何処かへ遠退いていくのでした。

詩聖

教育大学とその寮のある辺りは、いつも学生たちが行き交っているので、私は、その界隈を竊(ひそ)かに「ハバーロフスクの羅典語地区(カルチエ・ラタン)」と呼んでいましたが、カール・マルクス通りとヂコポーリツェフ通りの角の教育大学の入り口の前には、露西亜近代文学の嚆矢(こうし)とされ、「露西亜詩の太陽」と讃えられ、「プーシキンは私たちの凡て(プーシキン・ナーシェ・フショー)」という十九世紀の詩人アポローン・グリゴーリエフの言葉が人口に膾炙(かいしゃ)している、詩人アレクサーンドル・プーシキンの銅像があります。フロック・コートに身を裹み、スカーフを衿に巻き、左足を半歩前へ踏み出し、掌が下を向いた左手で一冊の厚い本の背を把み、その本の小口を左腿の附け根に当て、左手首の少し上へ右手を添え、俯きがちに彳んでいる、口髭はなく頤鬚と揉み上げを蓄えた詩人の姿は、どこか愁いを帯びており、道行く人の心を和ませてくれます。毎年、詩人の誕辰に當たる六月六日（旧暦 五月二十六日）の「プーシキンの日」には、この像の前で、誰もが参加できる詩の朗読会が催され、プーシキンの詩を諳んじたり自作の詩を朗読したりする市民や学生の聲が、風のリボンのように瑠璃色の空へ消えていきます。それは、私にとって「夏は来ぬ。」の合い図でした。詩と云えば、こんなこともありました。或る冬の非番の日に鉄道大学の筋向かいの『メローヂヤ』というレコード屋へ向かってセールィシェフ通りの雪の道を足迅に歩いていて前の二人連れを追い抜こうとすると、母子と想えるその二つの影法師は、なんと白い息を吐きながらプーシキンか何かの詩を一緒に口遊んでいるのでした。学校の宿題なのか、家庭の教育なのか、判りませんでしたが、私は、露西亜では詩が広く親しまれているという話しを、その吹雪の中で実感したことでした。

あれは、錦秋の或る霽れた日の午后に、西から東へと中心街から空港へ向かうがら空きのトロリー・バスに揺られていたときのことでした。カール・マルクス通りの沿道の喬木は、煖かな黄色に染まり、明るい陽の光りが、さらさらと木の葉に降り灑いだり、南を向いた車窓から斜めに差し込んだりしているのでした。煉瓦工場の辺りでしょうか、人気のない停留所で扉がばさっと展くと、若い女性が、男の子の手を曳いて真ん中の乗降口から乗ってきました。母子と想えるその二人は、通路を挟んで私の隣りに竝んで坐り、空色のトロリー・バスが扉をばさっと閉めてきゅうんと唸るように奔りだすと、その女性は、かなり草臥れた革の肩掛け鞄から一冊の本を取り出して男の子に手渡しました。図書館で借りてきたのでしょうか、児童書らしきその本も、そうとう草臥れているようでしたが、私には、潰れて丸くなった表紙の角やざらついたような亜麻色の頁が、柔らかな秋の日影に映えてとても美しく感じられました。絵の附いた表紙に記された書名を竊み見ると、イヴァーン・クルィローフ（一七六九～一八四四）の『寓話詩』であり、私には、露西亜では親から子そして孫へと伝えられる文学が巷間に根を下ろして靭やかな感性の揺籃になっているのかも知れない、と想われたことでした。

　もう日本へ移り住んだ後(あと)の或る冬の日に、寒がりな露西亜人の妻が、露台(バルコーン)の硝子戸へ背中を向けて日向ぼっこをしながら、机に向かって露西亜の回想を綴(つづ)り倦(あぐ)ねている私に訊ねました。「耶蘇基督(イイスス・ハリストス)に一番適(ふさ)わしい露西亜語って何だと想う?」「さあ」「ほら、ユダに裏切られたりしたでしょう」「悲しみ(ペチャーリ)」「そう」降参し掛けていたときにぽろっと零れたその露西亜語に、自分でも驚きましたが、妻のほうがもっと愕(おどろ)いたらしく、逆光で翳(かげ)った頬がぽっと赧らんだようでした。なんでも、妻は、レオニード・アンドレーエフ（一八七一～一九一九）の作品を輯(あつ)めた『凡ての死者の復活』という表題の並製本(ペーパー・バック)に収められている中篇小説『イスカリオテのユダ』を読んでいると、そんなふうに感じられたので、そんなことを訊いてみたというのです。「第二の故郷(ふるさと)」という云い方がありますが、他愛ない妻との遣り取りの御蔭で「悲しみ(ペチャーリ)」という言葉と再会し、私は、「第二の母語」とでも呼びたくなるような郷愁(ノスタルギーヤ)を、露西亜語に感じたことでした。

力点（ウダレーニエ）

露西亜語でたびたび悩まされるものの一つに、力点（ウダレーニエ）があります。力点の位置が分からないときには、辞書を引き、辞書を引いても分からないときには、力点を打たず、辞書を引くことができないときには、力点を勘で打つのですが、私の場合、勘の外れるほうが多いので、勘とは反対に力点を打ってみることもありました。さて、プーチン政権が発足した当初、或る知り合いの日本人から、日本の新聞では「プチン」と表記されていますけれどもアクセントは「プーチン」ですか「プチーン」ですか、と訊ねられたことがありました。露西亜語の単語には、いづれかの母音に力点（ウダレーニエ）があり、本国では、人名の「トルストイ」は「トルストーイ」、「チャイコフスキー」は「チャイコーフスキイ」、「タルコフスキー」は「タルコーフスキイ」、地名の「カザン」は「カザーニ」、「アストラハン」は「アーストラハニ」、「ハバロフスク」は「ハバーロフスク」と発音されており、今は、日本でも、「プチン」ではなく「プーチン」という表記や表音が用いられています。それから、力点と云えば、一九九〇年代の半ばに放送局の廊下で知り合いの露西亜人と立ち話しをしていたときに、こんなことがありました。バイカール湖の東のブリャート（ブリャーチヤ）共和国の主都ウラン・ウデという町の名前を伝えようとして「ウラン・ウデ」と鸚鵡（オウム）みたいに幾ら繰り返しても、相手は「何（シトー）、何（シトー）？」と鳩みたいに首を傾げるばかりで、将棋の千日手のような破目に陥ってこちらの顋（あご）も草臥（くたび）れてきた頃に、漸（よう）く「あぁ、ウラーン・ウデー！」という応えが返ってきたのでした。露西亜語の力点は、覚えるのが面倒ですが、露西亜語に音楽的な霑（うるお）いを齎（もたら）すばかりでなく露西亜との径（けい）庭（てい）を一歩も二歩も縮めてくれるものでもあるような気がします。帰国するときに露西亜から持ってきた『ソ連邦地名辞典』と『ラヂオとテレヴィの放送従事者のための力点辞典』には、力点を確認する際にいつも援（たす）けられています。ちなみに、ヴラヂーミル・アルセーニエフ原作の黒澤明監督の日ソ合作映画は、『デルス・ウザーラ』という邦題で親しまれていますが、『森の人 デルス・ウザラー』という拙譯の絵本を群像社から出版していただいた際には、主人公の姓名の力点を後者の辞典で慥（たし）かめ、主人公と同じゴーリド（ナーナイ）人である知人に確認し、編輯者の方と相談したうえで、そうした書名にさせていただいたことでした。

表記

翻譯の仕事をするようになってから、いつもカタカナの表記には悩まされていますが、いつしか自分なりの規則（プラーヴィラ）ができつつあるようです。例えば、露西亜の格闘家エメリヤネンコの名前（ファースト・ネーム）は、日本のスポーツ新聞には「ヒョードル」と記されていますが、私ならドストエーフスキイと同じく「フョードル」とすることでしょう。また、「ア」と「ヤ」については、例えば、昔は、「ロシア」ではなく「ロシヤ」という表記が多く、小林秀雄なども専ら「ロシヤ」と記していたと記憶していますが、今は、「ロシア」という表記が殆んどで、早稲田大学でも、嘗ては、学部が「ロシア」語専修で大学院が「ロシヤ」語専修というふうに表記が異なっていたものの、當節は、学部も大学院も「ロシア」語専修に統一されている、と伺っています。それから、「ヂ」と「ジ」の使い方にも、時の流れが感じられます。昔は、「ヂ」という表記もときどき目にしたような気がしますが、或る時、ＮＨＫの深夜のラヂオ番組で、男性のアナウンサーが、聴取者の手紙を紹介する際に「この方は、ラジオのジをチに點々とお書きですね」と少し笑うように云ったので、私は、そんな表記はもう時代後れなのかなと淋しく想いました。けれども、radioのdは、ザ行ではなくダ行の各文字の頭にくる子音なので、私には、「ラジオ」よりも「ラヂオ」のほうが適わしいように感じられるのでした。ちなみに、『ラヂオ・プレス』という通信社は、社名に「ラジオ」ではなく「ラヂオ」という表記を用いています。また、丸ビルも、嘗ては「ビルヂング」でしたし、有楽町ビルは、今も「ビルヂング」のはずです。この伝でいくと、「スタジオ」は「スタヂオ」、「スタジアム」は「スタヂアム」となるのではないでしょうか。そう云えば、石川啄木の歌集『悲しき玩具』には、「ボロオヂンといふ露西亜名が、何故ともなく、幾度も思ひ出さるる日なり。」という一首がありました。それから、最近はbとvをきちんと区別する傾向にあるのでしょうか、「テレビ」を「テレヴィ」と書く人は、「ラジオ」を「ラヂオ」と書く人より少ないかも知れませんが、「ボルガ」を「ヴォルガ」、「バイオリン」を「ヴァイオリン」、「ベートーベン」を「ベートーヴェン」、「メドベージェフ」を「メドヴェージェフ」と書く人は、徐々に増えつつあるような気がします。それでも、「メドベージェフ」を「メドヴェージェフ」、「ウラジオストク」を「ヴラヂヴォストーク」と書く人は、まだ少数派のようです。ただ、後者については、例えば、チェーホフ全集・第十六巻（書簡Ⅱ、池田健太郎譯著、中央公論社）所収の「サハリン島旅行の手紙」では、専ら「ヴラヂヴォストーク」との表記が用いられています。慥かに、カタカナの表記を繞って翻譯者と編輯者の想いが一致しない場合には、巧く折り合いを附けて表記を揃えたほうが好いと想います。けれども、これは異端であると端から切り捨てるよりは、どちらの表記も択べる余地を残しておいたほうが、心の裾野が拡がり言葉の土壌が霑うのではないでしょうか。ちなみに、過日、井伏鱒二の『オロシヤ船』という作品を捜していたら、『ラヂオしぐれ』という作品名を目にし、福永武彦の日記を読んでいたら、同じ頁で「ラヂオ」と「スタヂオ」という表記に出逢ったことでした。

露語

日本には、「ロシア語」という言葉の出てくる歌があります。太田裕美が歌って大ヒットした大滝詠一の『さらばシベリア鉄道』には、「スタンプにはロシア語の小さな文字」という一節があり、松任谷由美の『緑の町に舞い降りて』には、「MORIOKAというその響きがロシア語みたいだった」という一節があります。また、「ロシア語」という言葉は出てきませんが、石川啄木の歌集『一握の砂』には、露西亜への郷愁（ノスタリギーヤ）を感じさせる「みぞれ降る／石狩の野の汽車に讀みし／ツルゲエネフの物語かな」という一首があります。ちなみに、汽車と云えば、小学生だった頃の夏休みに母方の親戚の家が点在していた北関東の日立という町を目指して上野から準急列車に乗って暫（しば）くすると、レトルト・カレーや蚊取り線香や蠅取りエア・ゾールの他（ほか）に「ボリショイ学生服」の琺瑯（ほうろう）看板も車窓（しゃそう）を過（よぎ）ったものでしたが、それは、ソ連時代の一九五八年に初来日したボリショーイ・サーカスの人気に肖（あやか）って名附けられたという話を聞いたことがあります。今、机上の国語辞典を披（ひら）くと、タイガ、ノルマ、ラーゲリ、インテリ、ツンドラ、ピロシキ、ボルシチ、ルバシカ、サラファン、カチューシャ、マトリョーシカといった露西亜語の外来語が載っていますが、これからは、どんな露語が加わっていくのでしょう。

露西亜には、方言や訛りが日本ほどないような気がしますが、北露西亜方言と南露西亜方言と両者の特徴が混在する中部露西亜諸方言があり、北と南の方言では、語中の位置によってoとaの発音が異なるそうです。また、どちらも欧露に位置する莫斯科(モスクヴァー)と聖彼得堡(サンクト・ペチェルブールグ)でも、例えば、露西亜風のドネル・ケバブは、「シャウルマー」と「シャヴェールマ」と違ったふうに呼ばれるようです。また、喋(しゃべ)る迅(はや)さは、中央の莫斯科より極東のハバーロフスクのほうが迅いという話を仄聞したこともあります。それから、露西亜語にも、日本語のように同音異義語がありました。例えば、綴字(ていじ)と発音は全く同じでも、「ポーチカ(почка)」には「莟(つぼみ)」と「腎臓」、「ラーク(рак)」には「癌」と「躄蟹(ざりがに)」、「ブラーク(брак)」には「結婚」と「欠陥」、「スヴェート(свет)」には「光り」と「世界」、「ミール(мир)」には「世界」と「平和」という異なった意味があり、「世界に平和!」という意味のお馴染みのスローガン「ミール・ミールゥ(Мир миру)!」には、同音異義語が仲好く二つ竝んでいるのでした。

食と色

露西亜にも、食に関する云い廻しがいろいろとありました。例えば、どっち附かずのことは、「魚でもなし肉でもなし」と表現されます。また、「一プード（十六瓩（キロ）三百八十瓦（グラム））の鹽（しお）を食べること」という慣用句もありますが、これは、「永いこと一緒に暮らしてみなければ、相手のことは分からない」という意味だそうです。ちなみに、二〇一八年一月十一日附けの朝日新聞の天声人語には、〈イタリア人と結婚し、異国での暮らしを多くの随筆に残した須賀敦子さんが書いている。あるとき姑（しゅうとめ）から、こう言われたという。「ひとりの人を理解するまでには、一トンの塩をいっしょに舐（な）めなければだめなのよ」〉とあり、いづこも同じと感じたことでした。それから、色を象徴的に用いた表現もいろいろあり、例えば、「白い金」と云えば「綿花」、「白いバレエ」と云えば「クラシック・バレエ」、「白いオリムピック」と云えば「冬季五輪」、「青い血」と云えば「貴族の出自」、「青いスクリーン」と云えば「テレヴィの画面」、「白い石炭」と云えば「水力」、「青い石炭」と云えば「風力」、「青い燃料」と云えば「天然瓦斯（ガス）」、「黒い金」と云えば「石油」を意味するのでした。ちなみに、「黒貂（くろてん）の毛皮」は、「柔らかな金」とも呼ばれていました。それから、日本では「茹（ゆ）で章魚（ダコ）のように赧くなる」と云いますが、露西亜では、「躄蟹（ざりがに）のように赧くなる」という云い方をよく耳にしました。

感歎

開高健のブラジル釣り紀行の表題である「オーパ！」は、駭愕（がいがく）を表す葡萄牙（ポルトガル）語の間投詞だそうですが、私は、露西亜の人たちも感歎したときなどによく「オパー！」なる音を発することに気附き、いつしか自分でも思わずそんな聲を洩（も）らすようになりました。こんなふうに、言葉とは、知らず識らずに身に附いてしまうものなのでしょうか。或るとき、私が、何かに草臥（くたび）れたのか落胆することでもあったのか、バスの停留所か鉄道駅の待ち合い室の長椅子へ「やれやれ（ゴースポヂ）！」と溜め息を吐（つ）いて力なく腰を下ろすと、隣りにいた露西亜人のお婆さんが、喫驚（びっくり）した面持ちで微笑みながら異邦人らしき私を振り向いたことがありましたが、そのときに、私は、「共通語」が少し話せるようになった気がしたものでした。

影絵

学生の頃、露西亜語劇に現（うつつ）を抜かしていると、人前に出るのが苦手なので演出をやりたかったのに役者をやらされる破目になってしまいました。選(よ)りに選って、チェーホフの『鷗』に登場するトレープレフという大役を。今でも、公演の前夜なのに科白(せりふ)をさっぱり憶えていないという悪夢に魘(うな)されることがときどきあります。今では、どうにか憶えた科白も綺麗に忘れてしまいましたが、シェイクスピアの『ハムレット』の主人公の科白を引用した「言葉(スロヴァー)、言葉(スロヴァー)、言葉(スロヴァー)」という科白だけは憶えています。あれは、作家に憧れるトレープレフが言葉の呪縛から逃(のが)れようとして吐(は)いた言葉だったのでしょうか。喋れば喋るほど虚しくなる玉葱の皮のような言葉、頼みもしないのに独り歩きを始めてしまう言葉、遠くへ抛(ほう)ったはずなのにブーメランのように自分の喉元へ返ってくる言葉。言葉を口にした瞬間、沈黙が影絵のように現れる。言葉とは、沈黙と影踏み遊びをしながら曠野を流離(さすら)う旅人のようなもの、そんなふうに想えるときがあります。

謝辞

何ごとにも感謝すると長生きするそうですよ。レーニン通り四号棟の放送センターは、アムール河を西に望む高台の斜(なぞへ)に彳(た)っていて、西側は、地階の部屋にも窓(まど)がありましたが、或るとき、そんな部屋の一つを占めていた北海道新聞の支局の大きな窓から差し込む日影を背に受けながら、支局長のIさんが、にこやかにそう話してくれたことがありました。想えば、露西亜で暮らしていた私が一番多く口にした露西亜語は、「こんにちは（ズドラーストヴィチェ）」でも「さようなら（ダ・スヴィダーニャ）」でもなく「有り難う（スパシーボ）」だったような気がします。露西亜語の「有り難う（スパシーボ）」の語源は、一説には「神の御救（おたす）けがありますように（スパシー・ボーグ）」であると云われていますが、この一言には、魔法の力が寓（やど）っているようでした。例えば、プーシキン通りを挟んだ近所の売店（キオースク）で罎麦酒（びんビール）を一本だけ買うようなときでも、去り際に必ず「有り難う（スパシーボ）」と云うように心掛けていると、無（ぶ）愛想（あいそう）な売り子さんも、「どういたしまして（パジャールィスタ）」と笑顔で応えてくれるようになるのでした。どんなに忙（いそが）しそうなときでも、どんなに機嫌が悪そうなときでも。その一言は、対になった挨拶の言葉の条件反射のようなものに過ぎなかったのかも知れませんが、そんな遣り取りを累（かさ）ねているうちに、彼女の笑顔はだんだん美しくなっていき、「有り難う（スパシーボ）」を云うのがますます愉（たの）しくなっていくのでした。何処の国の言葉であれ、何処の民の言葉であれ、「有り難う」の一言には、頑なな心を和らげる不思議な力があるように想えます。當たり前と云われればそれまでですが、鈍（なまくら）な私は、日本にいたときにはそんなふうに想ったことはありませんでした。

讃辞

讃辞と世辞（せじ）は似て非なり。前者には心が籠っており、後者には心が籠っていない。そんな感じもしますが、露西亜語の「コムプリメーント」という名詞を露和辞典で引くと「お世辞」とか「お愛想（あいそ）」という譯語が出てくるので、この言葉が出てくる歌に出逢ったときもそのように譯していました。ただ、長年、そうした譯が気に懸かっており、或るとき、讃辞という日本語に出遇ったのを切っ掛けに、母語が露西亜語の妻に訊ねたところ、その歌にある「コムプリメーント」は世辞ではなく讃辞の意味ではないかとのことで、譯を改めたことでした。それは、ギターを弾きながら愁（うれ）いと温もりを湛えた聲で人の心に静かに語り掛ける歌う詩人（バールド）のブラート・オクジャーヴァ（一九二四〜九七）が作家のユーリイ・トリーフォノフ（一九二五〜八一）へ捧げた『感歎の聲を上げよう……』（一九七五年）という歌であり、悋（お）しみなく相手を褒（ほ）める内容のどこか大陸的な鷹揚さを感じさせる一曲でした。考えてみれば、オクジャーヴァほど「お世辞」や「お愛想」とは無縁のような存在もないわけで、私は膝を打ち、自らの不明を愧（は）じたことでした。

　互いに感歎し感心し合おう／少々大袈裟だって構わない／互いに褒め言葉（コムプリメーント）を交わそう／それは愛の至福の刻（とき）だから／／包（つつ）み隠さず悲しんで泣こう／一緒に別々に代わり番こに／悪口

なんか気にしなさんな／哀しみは常に愛と隣り合わせ／／互いを一言で分かり合おう／過ちを繰り返さないように／何事も大目に見て暮らそう／人生はかくも短いのだから。

ちなみに、父親は具琉耳系で母親は亜爾美尼亜系というオクジャーヴァには、気の置けない仲間内の酒宴などで今もよく唱われる『具琉耳の歌』（一九六七年）という自作の詩と歌もあり、二〇〇五年に来日した露西亜のジャーナリストたちと新宿ゴールデン街のバー『ガルガンチュア』を急襲した折りには、ボリース・パステルナーク賞の最初の受賞者でノーベル文学賞候補と目されていた詩人ゲンナーヂイ・アイギー（一九三四〜二〇〇六）の故郷であるチユバーシ共和国のアフリカーンさんという面白い名前の新聞記者がカウンターの隅で徐ろにこの歌を口遊み始め、みんなでその聲に和したり聴き入ったりしたことでした。

葡萄の種を温もった土に埋めて／蔓に口附けし、実った房を摘み／友達を呼んで、心に愛を盈たす／それが、悠久の地に生きること／お鳩まりください、私の饗宴に／貴方の目に映る私は、誰ですか／神様は、私に罪の宥しを賜わる／それが、悠久の地に生きること／／赤黒い服の猟の女神が歌を唱い／白黒の服の私は彼女に首を低れ／聴き惚れて、愛と哀しみに死す／それが、悠久の地に生きること／夕映えが隈なく湧き広がるとき／私の前を幾度も過りますように／白い水牛、青い鷺、金色の鱒が／それが、悠久の地に生きること。

舌禍

物いへば唇寒し穐(あき)の風。日本では、そんな芭蕉の句が人口に膾炙(かいしゃ)しています。我が舌は(イャズィーク・モーイ)我が敵(ヴラーグ・モーイ)。露西亜には、日本の「口は禍(わざわい)の門(かど)」に當たるそんな俚諺(ポスローヴィツァ)がありました。慥(たし)かに、言葉は、悲しみや苦しみを和らげてくれることもあれば、心ない一言によって相手を深く傷附けてしまったり、ブーメランのように戻ってきて自分を傷附けたりすることもあります。ちなみに、ブーメランは、元々はオーストラリアの原住民が用いていた「く」の字に曲げた狩猟用の木片だそうで、私は、子供の頃によく友達とプラスチック製の玩具のブーメランをびゅんびゅん飛ばして遊んだものでしたが、成る程、そのブーメランの先端や周縁もなんとなく刃のように鋭かったのを憶えています。露西亜語の「イャズィーク（язык）」には、「舌」の他(ほか)に「言葉」という意味がありますが、過日、漢和辞典で通譯を意味する「舌人(ぜつじん)」という単語に出遇ったときには、更(あらた)めて「舌」と「言葉」が一体であることを感じたことでした。ただ、「舌」は、切られたらそれでお仕舞いなのに対し、「言葉」は、肌着のようにいつも身に着けてはいるものの、脚か翼でも生えているのか、すたすたと独り歩きをして、途(と)んでもないところへ行ってしまうことがあります。ときには、その意味をがらりと変えて。

十年ほど前、ハバーロフスクでほぼ二十年振りに再会した写真家でエッセイストのMさんから「岡田さんはもう日本へ帰国されたと伺っていました」と云われたときには、出処のしれぬ流言の悍ましさを感じるよりも、自分が消えてしまったようでなんだか可笑しくなりました。また、帰国する半年ほど前でしたが、或るとき、日本の通信社の取材を受けた後に軽食堂で火酒を酌みながらその記者にすっかり心を許して呟いてしまった一言が、日本の全国の新聞に載ってしまったときには、私は、それはないよねと想い、『アカシアの雨がやむとき』という昔の流行り歌の枕が、繰り返し耳底を擦めたことでした。その出来事は、私の心に深い傷を残しましたが、私は、嘘を吐いたわけではないので、これも運命と諦めて誰も知らない十字架を背負っていくしかないのでした。こんなふうに「言葉」という厄介な代物に打ち倒されたときには、深沢七郎の『言わなければよかったのに日記』、田村隆一の「言葉なんかおぼえるんじゃなかった」、「語るに落ちる」という日本の慣用句、そして、文頭の露西亜の俚諺などが、想い出されてくるのでした。みなさんにも、こんなこと、ありませんか。

横文字

日本課の露西亜人の編輯員Gさんは、日本語をこよなく愛し、芭蕉を沁み沁みと味わい、

「欲ハナク／決シテ瞋ラズ／イツモシヅカニワラッテキル」、そんな人でしたが、或る日、録音スタヂオで、私の譯語について如何にも無念そうにこう呟くのでした。「岡田さん、何故、英語を使うのですか、折角、美しい日本語があるのに」そう云われてみると、慥かに、私は、原稿の翻譯の際につい「横文字」へ倚り懸かり過ぎていたような気がして、口を噤んで首を低れるばかりでした。この異邦人の日本語への想いに胸を打たれたのかも知れません。今も、翻譯の際に「横文字」を安易に択んでしまいそうなときには、あのときのGさんの淋しそうな表情が目交いに泛かんできます。私の手抜きをそっと戒めてくれる幻の制動装置のように。

翻譯

翻譯を何かに喩えるとしたら、手藝、工藝、編み物、それとも、銀河でしょうか。ああでもないこうでもないと貧しい譯語を紡いだり解いたりしていると、異国語と母国語の合いに横たわる銀河のようなものを感じることがあります。そんな「銀河」では、ときには櫂を幾ら漕いでも言葉の舟は丸で進まず、言葉の新雪を踏み抜いたり言葉の氷原に足を辷らせたりすることも屢々ですが、こんなことを繰り返しているうちにそんな「銀河」が愛おしくなってくるから不思議です。「想い」という形のないものを露西亜語なら露西亜語という形の器から日本語なら日本語という形の器へ移し替えることが翻訳だとすれば、「文体（スチーリ）」とは、それらの器に具わっている形態であり、一人一人の「丰（すがた）」や「皃（かたち）」が違うように、一人一人の「文体」や「翻訳」も違うような気がします。若（も）しかすると、彼岸の異国語は、此岸の母国語を映す鏡であり、翻訳という「銀河」は、そこを渡る旅人の「想い」を映す鏡なのではないでしょうか。余談ながら、山海塾のIさんから「うちのUさんは、足許（あしもと）を見ればその人の考えていることが分かるんだそうだよ」と伺った記憶がありますが、分かる人には、翻訳を見ればその人の「想い」が分かるのではないでしょうか。譯語の択び方ばかりでなく句読点の打ち方一つにも、その為人（ひととなり）が如実に隠れようもなく現れている、そんな気もします。

詩人

ソ連へ移り住んだばかりのこと、「この町に詩人はいますか？」と放送局の上司に訊くと、「去勢（或いは屠殺）されていない犬（カーク・ニェレーザヌィフ・ソバーク）ほどわんさか」という身も蓋（ふた）もない応えが返ってきましたが、それは、私が最初に覚えた露西亜語の慣用句の一つとして、今も、そのときの上司の表情と共に脳裡に刻まれています。さて、職場の同僚である音楽編輯員のマリーナ・サーフチェンコさんは、私と同い歳の巾幗（きんかく）詩人でしたが、或る晩、どういうわけか、露西亜作家同盟の支部があるヂヤチェーンコ小路九号棟の文学者会館（ドーム・リチェラートロフ）で毎週催されている詩人の会へ私を誘ってくれました。古風な赤煉瓦の建て物の玄関の重たい木の扉を手前にぎいっと展（ひら）くと、踏み段（ステップ）の附いた玄関ホールには紫烟（しえん）が立ち罩（こ）めており、屯（たむろ）する人の顔が見えないほどでした。左手奥の会議室では、場末の映画館から何列か失敬してきたような肱掛け附きのおんぼろの座席に躰を沈めた人たちが、低い演壇から聞こえてくる詩の朗読に耳を傾けていました。学生、教師、画家、陶藝家、失業者、有閑夫人（マダム）、イダルゴ風の高等遊民、草臥（くたび）れた背広の年金生活者、微醺（びくん）を帯びた仕事帰りの労働者など、多彩な顔触れの「詩人」たちが、代わる代わる自作の詩を朗読していくのでしたが、そこは、出来栄えを競うというよりも一人一人の生（なま）の聲に耳を澄ますといった雰囲気に溢れていて、とても心地好い時空でした。とは云え、そこの空気は、弛緩しているわけではなく凛（りん）としており、或る少年の沈黙からは、近寄るだけでこちらの為体（ていたらく）が炙（あぶ）り出されるような余りにも繊細で純一で透明なものが剃刀（かみそり）か鎌鼬（かまいたち）のように感じられるほどでした。私は、韻を踏んで水の如く流れるそれらの詩は殆（ほと）んど理解できないものの、藉（か）りものでない言葉から伝わってくる無垢な想いを感じ、いつしか、干涸びた心を泉のように霑（うるお）してくれるその一隅へ足を運ぶようになりました。ときには、ギターの弾き語りや提琴（ヴァイオリン）の合奏が行われたり、若い画家が知らぬ間に私の横顔を素描（スケッチ）してくれたりすることもありました。二時間ほどで会がお開きになった後（あと）には、三々五々、アムール河の畔りや目貫き通りのムラヴィヨーフ＝アムールスキイ通りを漫（そぞ）ろ歩いて家路に就（つ）くこともあれば、誰かのアパートの狭い台所（クーフニャ）か油絵の具の匂う工房（アトリエ）で魚の罐詰めなどを肴（さかな）に安い火酒（ヴォートカ）を引っ掛けながら四方山話しに耽ることもありました。それらの「詩人」たちは、街でばったり遇うときには、清爽（せいそう）な風のように感じられ、会っていないときでも、何処（どこ）かしらを流れている地下水脈のように感じられるのでした。帰国後に詩人の会の中心的な存在だったアールト・イヴァーノフさんから届いた手紙には、その会の肝っ玉母さん的な存在だった今は亡きガーリャ・クリューチさんがソ連崩壊の年に當たる一九九一年に綴ったこんな短い詩が添えられていました。

愛（かな）しき露西亜よ……／冬も夏も無邪気／常にご機嫌斜め／哲学者らは盲目／凡漢（ぼんつく）どもが治め／詩人らが慰撫し／卑劣漢が誑（たぶら）かす！

七色仮面

露西亜民謡『三頭立て（トローイカ）』の譯詩には「高鳴れバイヤン」という言葉が出てきますが、或るとき、ムラヴィヨーフ＝アムールスキイ通りとイストーミン通りの角の路傍で手風琴のバヤーン（露西亜のボタン式のクロマティック・アコーデオン）を弾いていた盲目の辻音楽師に街頭インタヴューをしていると、その老紳士が日本の女性のエスペランティストと面識のあることが判り、私は、国境なきエスペランティストの交流が脈々と続いているのを実感したことでした。さて、詩人の会の定連であるミーシャは、七つの言語を自由に操れてそれらの言語で記された詩をすらすら諳誦(あんしょう)できる超人というか七色仮面のような詩人でした。ちなみに、父親のエドゥアールドさんは、ハバーロフスク随一の映画通で、ときどき地元の新聞の文化欄へ寄稿していました。ミーシャは、語学の才華(さいか)を活かして家庭教師をしていましたが、それだけでは生計(くらし)が立たないらしく、不自由な足を曳き摺って目貫き通りで新聞を売り歩くこともあり、私を見掛けるたびに「岡田(オカーダ)、新聞を買ってくれよ(クピー・ガゼートゥ)」と遠くから人目を憚(はばか)らぬ胴間聲(どうまごえ)を張り上げながらのっそりと近附いてきて、私は、小さくなってポケットの小銭を漁(あさ)ったり財布から小額の紙幣を選(よ)り出したりするのでした。ミーシャは、新聞や雑誌の記事を執筆することもあり、一度、稿料が入って懐の煖(あたた)かいときに「岡田(オカーダ)、珈琲を喫もう(パピヨーム・コフェイクー)」と云って跛行(はこう)する躰を左右に揺らしながら中央食料品店(ツェントラーリヌイ・ガストロノーム)のカフェテリアへ私を誘ってエクレアとシュー・クリームと珈琲をご馳走してくれたことがありましたが、後日、極東のエスペラント事情についての日本の聴取者の質問に応えるために北海道エスペラント協会の方に連絡を取ったところ、なんと、その方は、ミーシャをご存じで、ときどきエスペラント語の原稿をミーシャに依頼しているそうで、私は、若(も)しかするとミーシャはそのお鳥目(ちょうもく)であのお菓子と珈琲を私に奢(おご)ってくれたのかも知れないと想ったことでした。それから、エスペラントと云えば、露西亜出身の烏克蘭（ウクライナ）人の盲目の詩人で童話作家でエスペランティストのヴァシーリイ・エロシェーンコの詩集を極東国立学術図書館で見附けて転写してもらい、そこに収められている『人びとへの愛（Любовь к людям）』という八行の詩の拙譯を番組で紹介したこともありました。中村彝（つね）の『エロシェンコ氏の像』に描かれ、新宿の中村屋にボールシチのレピシを伝え、「危険な思想」ゆえに日本の官憲に逐（お）われ、敦賀からヴラヂヴォストークへと旅立つことになる、この盲目の詩人が、著者の家へ立ち寄った際に蓄音器から流れてきたベートーヴェンの第五交響楽の第三楽章のところで堰（せ）き敢（あ）えぬ滂沱の泪を溢（こぼ）したという逸話が、犬養道子さんの自伝的エッセイに綴られていることを教えてくれた、Aさんという宮城県の定連の聴取者のお便りにお応えする形で。

わたしは心に炬火（きょか）を熾（おこ）した／共にあれば嵐でも闇（くら）くない／わたしは心に焔（ほのお）をひろげた／命尽きてもそれは消えない／／炬火よ、慈愛と地平を創れ／焔よ、永遠（とわ）に炎（も）え彳（た）ち昇れ／炬火は、世界の人々への愛／焔は、囚（とら）われなき明日（あす）の黎明（よあけ）

ヴァレンチーナ・カチェリーニチさんは、詩人の会で知り合った文学修士の羅典(ラテン)語の先生で、私を見掛けると烟草(たばこ)喫(の)みらしいがらがらした低い聲で「和也(カズーヤ)」と聲を掛けてくれたり、ローマの詩人の作品を羅典語から露西亜語へ翻譯してタイプした紙片を後ろの席から私の肩越しにそっと手渡してくれたり、レーニン広場の脇の医科大学での自分の講義に招いてくれたりするのでした。或る晩、何かの鳩(あつ)まりが催されていた文学者会館(ドーム・リチェラートロフ)の廊下で立ち話しをしていたときに、長身で痩身の背中を一寸(ちょっと)屈めて、眼鏡の奥の双眸を皿のように円くして、「和也(カズーヤ)、詩は、ナイーヴでないと書けないのよ」と私の顔を凝(ぢ)っと瞶(みつ)めながら告げたことがありましたが、その言葉は、今も耳底(じてい)に残っています。それから、或る冬の午下(ひる)がりにレーニン通り沿いのブリユーヘル広場の裏手の小さな郵便局でばったり遇ったときには、カチェリーニチさんは、年金を受け取るためと想われる羊群さながらの行列(オーチェレヂ)に温順(おとな)しく竝んでいましたが、「もう直(ぢき)、地元の詩人たちの詞華集(アントローギヤ)が出版されるのよ」とそっと耳打ちされた私が「それぢゃ、お祝いに一盃やらないと(タグダー・ナーダ・オトメーチチ)」と雀躍(じゃくやく)して歓聲を上げると、人目を憚るようにしーっと食指を唇へ縦に當てて悪戯(いたずら)っぽく笑うのでした。彼女は、地元で出版される詩集の編輯を手懸けたり句集の解説を綴ったりすることもありましたが、或る日、寓居の階下に住んでいていつも気さくに挨拶を交わしてくれるマトリョーシカか雪達磨（снеговик, снежная баба）

を想わせる女性が、「知り合いのヴァレンチーナさんから託(ことづ)かりました」といって文庫判くらいの詩集を届けてくれました。アムール河畔の白堊の救世主顕栄主教座大聖堂の写真を表紙に配(あしら)った『詩の町(ポエチーチェスキイ・ゴーロド)』というその本には、五十人ほどの地元の詩人の種々(くさぐさ)の作品が収められていましたが、なんと愚作も載っていて、巻末の目次のその題名に赤鉛筆で淡い下線が施されており、仰天してしまいました。というのも、晩のニュースを翻譯するために独りとぼとぼとレーニン通りの雪の道を放送局へと夕陽に向かって歩いていたときに逆光の中からぽつんぽつんとこちらへ歩いてくる外套に裹(くる)まった人たちの黒い影(シルエット)と擦(す)れ違うたびに「仄日(そくじつ)が雪に映す凡ての影が無限大に伸びる一瞬の奇蹟」という想念に囚われていた私の心に泛(う)かんだキリール文字(キリーリツァ)が、知らぬ間に本の岸辺へ漂着していたのですから。その詩の花綵(はなづな)を編んだカチェリーニチさんが新聞『コムソモーリスカヤ・プラーヴダ』の地方版に掲載された「アムール、私の聖像画(イコーナ)」と題された愚生についての記事に露語と和語で添えられたこの詩に目を留めてくれたのか、詩人の会の誰かが彼女にこの詩を紹介してくれたのか、仔細はよく分かりませんが、恥の晒し序(つい)でにその愚作を添えさせていただきます。「今もとても綺麗だけれど、若い頃はもっと綺麗で恰好好かったのよ」と妻が云うカチェリーニチさん、烟草を啣(くわ)えたところは詩人の茨木のり子さんに似ていたけれど、私が竊(ひそ)かに附けていた彼女の諢名は、「ハバーロフスクのフランソワーズ・サガン」。

アムール、冬日幻想

太陽と白い地平がふれあうとき
あらゆるもののうしろに影がのびる

無のようにはてしなく
有のようにあたたかく
永遠のようにしずかな影

影のさきはみえないけれど
かすかにきこえてくる
かぎりなく無言にちかいだれかのささやき

フルーンゼ通り六十九号棟の古風な赤煉瓦造りの二階建ての建て物には、嘗(かつ)て創作生産企業『極東映画センター(ダリキノツェントル)』が置かれており、普通の映画館では掛からない通好みの映画が定期的に上映されるその施設は、如何にも名画座といった趣きを漾(ただよ)わせていましたが、二〇〇二年に『創造的インテリゲンツィヤ会館』となり、種々(くさぐさ)の文化イヴェントが催されるようになりました。その年の秋、職場の同僚で詩人のマリーナ・サーフチェンコさんが、『ガラテイア』という自ら参加している女性藝術家のクラブがそこで催す『東洋詩の夕べ』で何でも好(よ)いから喋って欲しいと云うので、私は、軽い気持ちで引き受けました。當日が近附くと、会場の出入り口の脇に日時と演目と五十留(ルーブリ)という入場料を記した手描きの看板が掲げられ、出演者として地元の俳人アレクサーンドル・ヴルブレーフスキイと『サンクレ』という先住民族ナーナイ人の舞踊アンサムブルの他(ほか)に自分の氏名も記されており、なんだか只事ではなくなってきたと感じるのでしたが、もうじたばたしても仕方ないので肚(はら)を括(くく)ることにしました。十月十七日の十八時に始まったその夕べでは、まず、進行役のマリーナさんが、松尾芭蕉のことを話し、極東医科大学で教鞭を取る文学修士で羅典(ラテン)語の権威であるヴァレンチーナ・カチェリーニチさんが、東洋詩全般についてと二冊の句集を出しているヴルブレーフスキイさんの創作について話しました。その後、ヴルブレーフスキイさんの作品が、吶吃の本人に代わって舞台女優の方によって朗読され、北海道のアイヌの伝統儀礼が、ヴィデオ映像で紹介されました。私は、たまたまその年が歿後二十五周年にあたっていた石原吉郎のことに触れ、この詩人が恰度五十年前にハバーロフスクで綴った詩やソ連抑留時代に詠んだ句を紹介し、さらに、谷川俊太郎の詩《鳥羽Ⅰ》と吉本隆明の《ちいさな群れへの挨拶》の断片や嘗ての同人誌仲間の短歌などを原語に拙譯を添えて朗読し、芭蕉の例の蛙の句を日本語で音読してくださいといった聴衆の要望に応えたりしていました。その二年後、ヴルブレーフスキイさんの俳句とニコラーイ・ホロドークさんの版画で構成される『ハバーロフスク漫ろ歩き（Неспешная прогурква）』という素的な句画集が出版されました。A五判のこの本は、包装紙に包まれた板チョコのようなユニークな装釘で、左頁には、上に露語の横三行の俳句、中に縦三行の和譯、下に横三行の英譯が印刷され、右頁には、左頁の俳句と対をなす街角スケッチ風の白黒の版画がその場所や建て物の名称と共に印刷され、巻末には、カチェリーニチさんの露語の跋文が和譯と英譯を添えて印刷されており、二十景ほどのそれらの句と画に接すれば、ハバーロフスクの四季を感じることができるような気がします。余談ながら、俳句と云えば、ムラヴィヨーフ=アムールスキイ通り一号棟の極東国立学術図書館で日本の詩歌を紹介する催しが開かれたときには、翻譯は仏譯しかないと想っていた種田山頭火の句集の露譯が展示されており、文庫本ほどの大きさのその薄い本を手に把ったことでした。

短歌

ニコラーイ・ゴーゴリの短篇小説『外套（シニェーリ）』の哀れな主人公アカーキイ・アカーキエヴィチの他（ほか）に、私が露西亜で竊（ひそ）かに心の友としていたのは、石川啄木で、イストーミン通りの極東国立学術図書館分館二階の外国図書課からその歌集を借りてきたこともありました。

人がみな／同じ方角に向いて行く。／それを横より見てゐる心。
こそこその話がやがて高くなり／ピストル鳴りて／人生終る
わが村に／初めてイエス・クリストの道を説きたる／若き女かな
友がみなわれよりえらく見ゆる日よ／花を買ひ來て／妻としたしむ
こころよく／我にはたらく仕事あれ／それを仕遂げて死なむと思ふ
「石川はふびんな奴だ。」／ときにかう自分で言ひて／かなしみてみる。
はたらけど／はたらけど猶わが生活（くらし）樂にならざり／ぢつと手を見る

はらはらと雪のように舞い降りてくるそれらの短歌は、翻譯の規準作業量（ノルマ）に追われるばかりの薄給の生活を愉快そうに眺めているもう一人の愚生のようでもあり、ちっぽけな自分を戯画化してくれる言葉の鏡のようでもありました。ちなみに、手と云えば、日本では専らボール・ペンを使っていたために万年筆に馴れていなかった私の手は、いつもインクで汚れていましたが、石鹸でもなかなか落ちないインクの汚れの残る自分の手を「ぢつと見る」たびに、その一首が、ひょいと想い出されるのでした。目交（まなか）いを過（よぎ）る鳥の影のように。

III　四季

季節

四季は、日本でも露西亜でも夫々（それぞれ）に趣き深いように感じます。露西亜では、一年が、三、四、五月の春、六、七、八月の夏、九、十、十一月の秋、十二、一、二月の冬の四つに分けられ、「春の最初の月」とか「冬の最後の月」といった表現を新聞でよく目にします。四季というと、私には、春夏秋冬という云い方や小学校で教わった『四季の歌』やアントニオ・ヴィヴァルディの提琴（ヴァイオリン）協奏曲集『四季』のせいか、なんとなく春から始まるというイメージがありましたが、露西亜の場合はそうでもないようです。或る年、自分が担當するラヂオ番組の枠内で今年は露西亜の季節を音楽で辿ってみようと想い、放送局の音聲（フォノチェーカ）ライブラリーでピョートル・チャイコーフスキイのピアノ曲集『四季』やアレクサーンドル・グラズノーフのバレエ音楽『四季』のオープン・リール・テープを探し當てると、なんと、前者は一月から、後者は冬から始まっているのでした。また、帰国を扣（ひか）えて荷物を耗（へ）らさなくてはならないのについ書店で購（もと）めてしまった『四季』という自然を謳う詩や散文の断片を輯（あつ）めた本も、やはり冬を讃える作品から始まっているのでした。鳥は去り獣は眠り野も森も溶暗（フェード・アウト）していく秋を四季の終幕とし、大地を雪で包（くる）んで新たな萌芽を待ち焦がれる冬を四季の序幕とする、そんな露西亜の感性が、私にはなかなか粋（いき）で慕わしいものに感じられます。

風花（かざばな）

露西亜では、冬の扉を音もなく敲くようにちらちらと舞う雪は、フランシス・レイ作曲のグルノーブル冬季五輪の記録映画の曲である「白い戀人たち」ならぬ「白い蠅たち（ベールィエ・ムーヒ）」と呼ばれていました。そうした呼称は、慥（たし）かにその雪の色や動きを云い得ているように想いますが、日本語の「風花（かざばな）」と比べるとなんとも無粋に感じられ、私は、そんな走りの雪を見ると、音（おん）の似ている「白南風（しらはえ）」や季節の似ている北海道の「雪蟲」や伊豆湯ヶ島の「しろばんば」を想い泛（う）かべたりしていました。物理学者で随筆家の「雪博士」こと中谷宇吉郎（なかやうきちろう）は、「このように見れば雪の結晶は、天から送られた手紙であるということが出来る。」という言葉を残しているそうですが、露西亜の「白い蠅たち」を窓硝子（まどガラス）越しに眺めたり頬や瞼に受けたりしていると、私には、それらの「蠅」が、春、夏、秋の三楽章に続いて冬の楽章を奏で始める天の音符たちに想えてくるのでした。

六花（りっか）

雪のことを六花（りっか）とも云うのよ。遠い昔に友人の口から零れたそんな言葉が今も想い出されることがあります。そして、雪は何処（どこ）から降ってくるのと少女のように問う聲が聞こえてくるような気のするときがあります。けれども、アムールの岸辺に亻（た）ち、象牙色（アイヴォリー）の空を仰ぎ、幾ら目を凝らしても、雪の淵源や故郷（ローヂナ）は見えず、恒河沙（ごうがしゃ）さながらの六花の舞いに幻暈（めまい）を覚えるばかり……。そう云えば、ハバーロフスク日本人会の会報も「六花」という名前でした。これは、一九九五年頃に四代目の北海道新聞ハバーロフスク支局長が創刊して後任の歴代の支局長が編輯を担當して支局閉鎖後には日本企業の駐在員の方が引き継いだもののやがて休刊してしまった在留邦人向け『平成版・日本新聞』を復刊させる心算（つもり）で私が創刊を呼び掛けて二〇〇二年秋の創刊号から二〇〇九年秋の終刊号まで編輯を担當した季刊紙で、二〇〇四年春号の編集後記にはこんなふうに綴ったことでした。「季刊のペースで第十号となりました。草花がまばらに生えシカかなにかがたまに通るほかは時間と空間がしずかに結びあうだけのなんの志向性ももたぬ森の空地のようなものをイメージしながら編集の経験も知識もない素人の私なんぞが発行を思いたったのがかれこれ三年ほどまえのこと。まさか十号を迎えるとは思ってもみませんでした。これもひとえに素敵な原稿や貴重な情報をお寄せくださった方々そしてコピー代を負担してくださっている日本人会会員の方々の御蔭です。ここに改めて深く感謝申し上げます。「六花」という名前をつけたのは次のような他愛もないことからです。二十年近くまえでしょうか、知り合いの女友達が「六花社（もしかすると舎だったかも知れません）」という小さな出版社に出入りしていて、その方から、雪を六花とも言う、ことを心地よい驚きを以て知りました。ハバーロフスクというこのちいさな町でみんなそれぞれちがったことをやっているようでいても遠い宇宙の空からはきれいな雪の結晶のように見えているのかも知れない、というきわめてセンチメンタルな思いをそっと込めたものです。ちなみに新潟大学に六花寮というのがあるとヴァンクーヴァー在住の読者の方が電子メイルで知らせてくださいました。（後略）」また、その一号前の二〇〇三年冬号の編集後記には、「（前略）詩歌のご投稿に触発されて一首ひねりました、一条のベンガル花火手に取りし母子佇む吹雪の露店。では日本人会のみなさまどうぞよいお年を！」と記したことでしたが、その腰折れの短歌は、母親の手料理を囲む細やかな新年のお祝いの食卓で坊やが手にするのでしょうか、人影も疎らな雪に烟るレーニン通りの年の瀬の露店でベンガル花火を購める貧しげでも愉しそうな母子の姿が目に留まったときに、ひょいと泛かんだものでした。露西亜を離れて日本へ戻った今も六花が戀しいのは、そんな何気ない雪の情景が記憶に刷り込まれているせいかも知れません。余談ながら、帰国後、小学館の昭和文学全集に収められている『塔』という福永武彦の初期の短篇小説で「僕の不可思議な体験は恰も暗闇を貫いたBengale(ベンガル)の花火のようで、僕は定かにその色と形とを思い出し得ない。しかし僕の願望は一つとして充されぬものはなかった。」との文章に出逢い、あの吹雪の母子を想い出したことでした。

氷花(しが)

水に弋(う)かぶ氷と云えば、日本では、オホーツク海の流氷や北海道の釧路川や小樽運河の蓮(はす)葉氷(はごおり)や福島と茨城の両県を流れる久慈川の氷花(しが)などが知られていますが、露西亜極東では、冬の訪れと共に、アムール河の氷の旅人たちが、北溟(ほくめい)を目指して陸続とハバーロフスクの傍(かたえ)を通り過ぎていきました。河の水は、氷晶(イグラー)（игла）、薄氷(サーロ)（сало グリース・アイス）、雪泥(スニェジュラー)（снежура）、軟氷(シュガー)（шуга パン・ケーキ・アイス）などに変容し、やがて武張った氷塊となり、蓮葉氷のお化けみたいなそれらの流氷は、大鬼蓮(おおおにばす)のように人や牛馬を乗せることもできそうなのでした。アムールの岸辺に踞(うずくま)り、無聲映画さながらに目交(まなか)いを辷(すべ)りゆく流氷を白痴のように瞶(みつ)めていると、自分が逆の方向へ流されているような錯覚に囚われる瞬刻がありました。竝んで停車する二本の列車の一方が、知らぬ間に音もなく動き始めるときのように。けれども、やはり、氷の帯が、離合を繰り返しつつ一列(ひと)なりに河を下っていくのでした。始まりも終わりもないように。

冬至

ハバーロフスクは、気温が真夏は摂氏三十度を上廻り真冬は零下三十度を下廻る寒煖の差が劇しい大陸性の気候で、月間の平均日照時間も最長の六月と最短の十二月とでは百時間を超える開きがありますが、白銀の冬のほうが緑蔭の夏よりも迥(はる)かに明るく感じられ、一面の皚(しろ)い雪に照り返る日影(ひかげ)の燦(きら)めきに幻暈を覚えるほどでした。まさに、光彩陸離。そんな露西亜の冬の歌には、靉靆(あいたい)として鬱屈したものよりも玲瓏(れいろう)と鈴を鳴らして疾駆する三頭立(トローイカ)ての馬車か馬橇のように軽快で陽気なもののほうが多いような気がします。恰(まる)で凍て附く寒さを逆手(ぎゃくて)に取るかのように。師走を迎えるとラヂオからよく流れてくるのは、冬の三ヶ月を三頭の白い馬に見立てた『三頭の白馬（Три белых коня）』（詩 レオニード・ヂェルベニョーフ、曲 エヴゲーニイ・クルィラートフ）。これは、SF作家のアルカーヂイとボリースのストロガーツキイ兄弟の中篇小説『月曜日は土曜日に始まる』を下敷きにしたソ連の音楽喜劇映画『魔法使いたち(チャロデェーイ)（Чародеи）』の挿入歌です。

川は凍えて大地は冷えた／家々は一寸縮こまった／町の中は煖かく湿っぽい／でも外は、冬、冬、冬／／私を運び去る、運び去る／音の響く雪の彼方へ／三頭の白馬、三頭の白馬／十二月、一月、二月！／／冬は雪の両手を広げて／春までものみな微睡む／三角服のヨールカだけが／駈けてくる、駈けてくる／／川は凍えて大地は冷えた／でも寒さなんか怕くない／町の中では淋しかった／でも外では、笑う、笑う

それから、ヨールカすなわち露西亜の新年のツリーが主人公の『森でヨールカが生まれた（В лесу родилась елочка）』（詩 ライーサ・クダーシェヴァ、曲 レオニード・ベックマン）というメルヘン調の童謡も、臘月にはよく流れていました。これは、『ジングル・ベル』の露西亜版といったところでしょうか。

森でヨールカが生まれました／森でそれは大きくなりました／冬も夏も、すらりとして緑色／冬も夏も、すらりとして緑色／／吹雪がこんな歌を聞かせます／ヨールカ、ねんねんお寝みよ／凍て附く寒さが雪で包みます／いいかい、凍えなさんなよ／／臆病者の灰色の野兎が／その木の下を跳ねていきます／おっかない狼も走り過ぎます／おっかない狼も走り過ぎます／／ほら、繁った森に響きます／辷り木の下で軋む雪の音が／尨毛の馬が駈けていきます／尨毛の馬が駈けていきます／／馬は荷橇を曳いていきます／荷橇の上に男の人がいます

／ヨールカを根元から伐った人／ヨールカを根元から伐った人／／そのヨールカがお粧しをして／私たちのお祭りへやってきて／子供たちは、大喜び／子供たちは、大喜び

ハバーロフスクでは、冬を迎えると、嘗ては、郊外の森から伐り出された見映えのする天然のヨールカが、氷の彫像や辷り台がまだ造られていないレーニン広場やヂナーモ公園へ直昇機で搬ばれてきました。例えば、二〇〇四年十二月七日、久し振りに雪が降って街が白一色に染まり、ふわふわと舞う綿雪を目にしながら冬の訪れを実感して吻っとし、天井下の物置き棚から履き馴れた冬の長沓を出して新しい中敷きを底に敷いて沓墨で外側の革を磨いてから、窗際でパソコンに向かって翻譯をしていると、爆音が轟いてきたので、露台の扉を開けてみると、森から搬んできたらしいヨールカを鋼索で吊るした直昇機が宙に浮いているのでした。近年は、他の多くの都市と同様、広場や公園には模造のヨールカが据えられているようですが、大人の背丈を少し超えるほどの家庭向けのヨールカは、その郁しい針葉の馥りのせいか、人工のものよりも天然のものに根強い人気があるようで、歳暮の市場や街角で購めては弛く縄で縛られた森の麗人を横抱きにして家路を急ぐ父親らしき紳士の姿を、よく見掛けたことでした。ヨールカは、露西亜のサンタ・クロースとも云える寒助爺さん（дед-мороз）が贈り物をその根元に置いていってくれるので、子供たちの大好きな場所でした。ちなみに、露西亜の年賀状やクリスマス・カードの売り場では、触れ合う三鞭酒の酒盃や雪

に映える正教会の聖堂や雪を蹴立てて疾走する三頭立て（トローイカ）の馬車か馬橇に乗った寒助爺さんなどを配（あしら）ったカードの他（ほか）、日本へも冬鳥（ふゆどり）として飛来して日本では「琴弾き鳥」とも愛称されて百三十円切手の図柄にもなった鷽（ウソ）という胸から腹に掛けての薄紅が愛らしい野鳥の描かれたカードも、たいてい売られていました。余談ながら、野鳥と云えば、ハバーロフスクの街中（まちなか）では雀や鳩の他（ほか）に鵲（カササギ）をよく目にしました。日本ではその棲息地が国の天然記念物に指定されており、七夕にはその群れが銀河に跨（また）がって織り姫と彦星の媒（なかだ）ちをするという、この鳥は、少し鴉（カラス）に似ていて高麗鴉とも呼ばれ、宮澤賢治の童話『銀河鉄道の夜』にも、「まあ、あの鳥」と女の子が叫ぶと「からすでない。みんなかささぎだ」とカムパネルラが叫んでジョバンニが思わず笑って女の子が極まり悪そうにする場面が出てきます。ハバーロフスクの鵲は、春の交尾期には朝っぱらから姦（かしま）しい濁聲（だみごえ）を張り上げて私の惰眠を妨げることもありましたが、青と白と黒の燕尾服のような凛とした装いで公園や街路の樹間を音もなく滑翔（かっしょう）する姿が洵（まこと）に美しく、私は、この鳥を竊（ひそ）かに「林間の貴公子」と呼んでいました。それから、恰度（ちょうど）渡りの時季だったのでしょうか、品のある冠羽（かんう）の生えた緋連雀（ヒレンジャク）と想われる野鳥の群れが、寓居の露台（バルコーン）の手摺りで一息（やす）みしてから風と共に去っていったこともありました。また、二〇〇六年には、ハバーロフスクに駐在されていた日本野鳥の会の会員の方にお願いして在留日本人会の会報『六花（りっか）』夏号へ寄稿していただいたことがありましたが、そこには、現地で観察できる野鳥に関する精（くわ）しい情報の他（ほか）に、ご自身で撮影された紅腹鷽（ベニバラウソ）、眉白黄鶲（マミジロキビタキ）、大赤啄木鳥（オオアカゲラ）、梟(フクロウ)、尉鶲(ジョウビタキ)、木走(キバシリ)、黄連雀(キレンジャク)の鮮彩な写真が添えられていたことでした。それから、アムール河流域には鸛(コウノトリ)の営巣地があり、一九八五年には一九七一年に鸛が絶滅した日本へ露西亜極東から六羽の雛が贈られ、二〇一二年には日本で育ったそれらの子孫のうちの二番い(ふたつがい)四羽が里帰りしており、鸛は、日露の交流の一翼を担ってもいるのでした。

冬爺(ふゆぢい)

二〇〇四年を迎えた冬の或る日、氷点下二十数度の寒冽(かんれつ)のなか、初老の辻音楽師が、ムラヴィヨーフ＝アムールスキイ通りの路上で手風琴を奏でていました。これぞ、寒助爺さん(ヂェード・マローズ)。投げ銭をして写真を撮らせてもらうと、西比利亜(シベリヤ)鉄道の莫斯科(モスクヴァー)行きの寝台急行列車『露西亜(ロシヤ)』号やハバーロフスク行きの夜行寝台列車『大洋(オケアーン)』号がヴラヂヴォストーク駅を発車する際に歩廊(プラットフォーム)に流れる『スラヴ娘の別れ（Прощание славянки）』というヴァシーリイ・アガープキン（一八八四〜一九六四）が革命前に作曲した露西亜ではお馴染みの行進曲が始まり、そのまま佇(たたず)んで聴いていると、道行く人の五人に一人くらいは小銭を置いていくのでした。ほどなくその場を後にしたものの、楽器の種類が気になったので踵(きびす)を返して訊ねると、ハーフ(ポル)・バヤーン(バヤーン)（полубаян）若(も)しくは三列鍵盤式手風琴(トリョフリャートカ)（трёхрядка）とのことでした。ときに、寒助爺（ヂェード・マローズ）さんは、露西亜のサンタ・クロースとも云われますが、仮令（たとえ）、房々の白髭を蓄えていなくとも、華やかなマントを羽織っていなくとも、豪奢な三頭立て（トローイカ）の馬車か馬橇を駆（か）っていなくとも、草臥（くたび）れたフェルトの長沓（ヴァーレンキ）を履（は）いて、古ぼけた杖を植え込みの柵に凭（もた）せ掛けて、半白の胡麻鹽髭を吐（は）く息で凍らせて熱演するその姿は、泣く子も黙る冱寒（ごかん）の街を身を縮めて足迅（あしばや）に行き交う人々に音楽の福音を伝えているようにも感じられたことでした。ところで、似ていると云われる寒助爺さんとサンタ・クロースも、仔細は異なっているらしく、新聞『イズヴェースチヤ』（二〇〇六年十二月二十八日）には、次のような十の違いが列挙されていました。その一、サンタ・クロースは、贈り物の入った袋ときにはクリスマス・ツリーか鈴を手にしており、寒助爺（ヂェード・マローズ）さんは、贈り物の入った袋と魔法の杖を手にしている。その二、サンタ・クロースは、房飾りの附いたキャップを冠（かぶ）っており、寒助爺さんは、貴族の帽子を冠っている。その三、サンタ・クロースは、円眼鏡を掛けており、寒助爺さんは、視力抜群で眼鏡要らず。その四、サンタ・クロースは、玉突き（ビリヤード）で使うような薄手の白手套（てぶくろ）を嵌（は）めており、寒助爺さんは、刺繍で飾られたミトンを嵌めている。その五、サンタ・クロースは、大きなバックルの附いた幅広（はばびろ）の革のベルトを締めており、寒助爺さんは、たいてい繻子（しゅす）の幅広の腰帯を締めている。その六、サンタ・クロースは、洋袴（ズボン）の裾を突っ込んで黒い革のブーツを履いており、寒助爺さんは、山羊皮の長沓（ながぐつ）かフェルトの長沓（ヴァーレンキ）を履いている。その七、サンタ・クロースは、釦（ボタン）留めの短い胴着を纏（まと）っており、寒助爺さんは、美しい模様の刺繍で飾られた丈長の派手な毛皮外套を纏っている。その八、サンタ・クロースは、煖爐の烟突から家の中へ忍び込み、煖爐の棚に吊るされた沓下に贈り物を入れ、寒助爺さんは、ヨールカすなわち露西亜の新年のツリーの根元に贈り物を隠し、子供たちが三度その名を呼ぶと姿を見せる。その九、サンタ・クロースは、馴鹿に乗り、寒助爺さんは、三頭立ての馬車か馬橇に乗る。その十、サンタ・クロースには、お嫁さんがいるものの、目にした者は殆んどおらず、寒助爺さんには、雪娘（снегурочка）という可愛い孫娘がいる。さて、或る年の暮れ、新聞の隅っこに寒助爺さんの住所が載っていたので、童心に復った心算で手紙を認めてみました。一月、二月、三月と経ち、やはり返辞は来ないのかと諦めていたところ、六月十二日の「露西亜の日」の祝日にでっかいカードの添えられたこんな文面の封書が届いたのでした。「こんにちは、愛しい岡田和也さん！　露西亜の寒助爺さんがご挨拶申し上げます。貴方はこの手紙に喫驚しているでしょうが、私はなんたって魔法使い、どんなことでも誰のことでも知っており、友達のことをいつも憶えていて、祝日のお祝いをみんなに伝えています。我が好き友よ、二〇〇九年の新年とクリスマス、お愛でとう！　ご健康、ご多幸、ご成功、沢山の喜び、微笑み、温もり、陽の光り、平和な空が、貴方にありますよう！　この頃は、森の中がちゃんとしているか見廻ったり、雪や氷を蔵ってある魔法の穴を覗いたりしています。寝る前には、すやすや眠れてお伽話しのような夢が見られるように雪の羽毛布団をふかふかにしています。私は飛び切り愉しく美しい夢を友達へ届けていますから、貴方もきっとご覧になったことでしょう。我が好き友よ、ご機嫌よう！　こちらへ遊びにいらっしゃい、クジミーンスキイのお伽の森へ。首を長くして待っています。貴方の寒助爺さん（ヂェード・マローズ）」冬爺（ふゆぢい）はお負（ま）けに拙宅へ電話まで呉（く）れて、私は狐に抓まれたようでした。

――降誕

旧暦のユリウス暦を採用している露西亜正教会のクリスマスすなわち主の降誕祭（ロジヂェストヴォー）は、年が明けた新暦のグレゴリオ暦の一月七日に祝われ、全国各地の聖堂で、それに因んだ礼拝すなわち奉神礼（リトゥルギーヤ）が営まれます。正月の休日は、ソ連時代には慥（たし）か元旦だけでしたが、やがて一月の一日から五日までとなったため、年初は、やはり休日となった七日の主の降誕祭や振り替え休日を含めて十日ほど休みが連なり、十四日の旧暦の元旦までは、なんとなく正月気分が抜けないのでした。この時季、富裕な人たちは、西欧のスキーのできる保養地（リゾート）や東南亜細亜の避寒地などへ出掛け、庶民は、たいてい自宅や友人宅でのんびりと過ごしますが、気張って用意した酒肴も瞬く間に尽きて無聊を喞（かこ）つ人からは、正月休みの一部をダーチャ（小屋附きの家庭菜園（ヂェーニ・ポベーディ））の畑を耡（うな）う季節に當たる五月一日の春と勤労の祝日（旧労働祭（メーデー））から五月九日の対独戦勝記念日に掛けての春の連休シーズンへ移して欲しいという聲も聞かれました。ところで、日本には、「クリスマス寒波」という言葉がありますが、露西亜にも、主の降誕祭の冱寒（ごかん）を意味する「ロヂジェーストヴェンスキエ・マローズィ（рождественские морозы）」という言葉があり、慥かに、その時節は、身を切るような寒さに見舞われるのでした。一九九九年一月六日のクリスマス・イヴの晩、「ハバーロフスクではクリスマスをどのように過ごしますか？」という聴取者からの一通の手紙に背中を押されるように、私は、仕事を了（お）えると職場の同僚と二人で露西亜正教のクリスマスの礼拝へ出掛けました。予（あらかじ）め、レーニン名称スタヂアムに隣接した極東国立体育大学の裏手にある聖人インノケーンチイ・イルクーツキイ教会（トゥルゲーネフ通り七十三6（ベー）号棟）へ電話をして、「信徒ではないのですが、訪ねても構いませんか。それから、写真を撮っても」と訊ねると、主任司祭のフェラポーント神父は、「どうぞ、どうぞ。ただ、至聖所（アルターリ）には入らないでください」と歓迎してくれるのでした。コムソモーリスカヤ通りとアムール並木路（ブリヴァール）が交わる地点に位置する最寄りの停留所でバスを降り、コムソモーリスカヤ通りの一本西隣りのトゥルゲーネフ通りの緩やかな雪の斜（なぞへ）を少し上（のぼ）り、左手の門を抜けて赤煉瓦造りの聖堂の西向きの入り口の扉を展（ひら）くと、そう広くない煖（あたた）かな堂内では、百人ほどの主（おも）に年輩の信徒の方たちが、外套を纏（まと）ったまま聖障（イコノスタース）のほうを向いて佇（たたず）んでいました。人垣の向こうの儀礼の模様を撮影しようとフィルム式の自動焦点（オート・フォーカス）の写真機（カメラ）を手に左見右見（とみこうみ）していると、周りの人から、窘（たしな）められると想いきや、逆に「こうやって腕を上げてみたら」とか「あの長椅子へお乗りなさいな」といった助け舟が出されるのでした。

神父たちが長い鎖に吊るされた振り香爐をしゃんしゃんと振りながら聖堂の中央で羊群の如く犇めく信徒たちの周りを一巡りして礼拝が済むと、私は、同僚と聖堂を後にしたのですが、帽子を冠ろうと外套の脇のポケットへ手を遣ると、そこにあるはずの毛絲の帽子がありません。幸い、私の羽毛の外套には頭巾が附いており、戸外でも頭はさほど寒くありませんでしたが、若しや偸まれたのではと想うと、心が遽かに掻き曇るようでした。ところが、数日後、外套の裾の辺りがもっこりとしているので手で探ってみると、なんと、内ポケットにその帽子がすっぽりと収まっているではありませんか。どうやら、帽子は、脇のポケットの孔から転げ落ちて裾のポケットに好捕されたらしく、さっそく、心配してくれた同僚に知らせると、その顔に笑みが溢れました。ちなみに、その教会は、帝政時代の旧暦の一八九八年十一月八日に聖堂の献堂式が行われ、ソ連時代の新暦の一九三一年七月三十一日に閉鎖され、そのうちに海上国境警備隊の経理部の倉庫となり、ほどなく丸屋根が取り払われて鐘楼が取り壊され、やがて自動車修理工場となり、一九六四年に天象儀が設営され、一九九二年に教会へ返納されて礼拝が再開され、それと竝行して修復作業が開始され、一九九八年についに聖堂が再建されたそうです。なお、ハバーロフスク創建百四十周年を記念して出版された地元の百七人の詩人の作品を収めた『詩の町（Поэтический город）』という詞華集には、一九九六年にこの聖堂について綴られた「変容（Метаморфозы）」と題するアル・アールト（本名アルチョーム・イヴァーノフ）という友人の次のような詩も掲載されていました。この建て物は、一九九〇年代の初めに目にしたときには扉の鎖(とざ)された廃墟のようでしたが、数年後に低徊の途中でふらりと寄ってみると、がらんとした堂内には、内装工事用の木の足場(レサー)が組まれ、未完の聖障(イコノスタース)に向かって右手の一隅の日溜まりでは、鷺のようにほっそりとした数人の若い男女が、静かなア・カペラで讃美歌を唱っており、それは、心を雪(すす)ぐ潺(せせら)ぎのように流れているのでした。

長篇作家トゥルゲーネフの通りに／インノケーンチエフスカヤ教会の／ハバーロフスク最古の聖堂が彳(た)つ／その石の穹窿(スヴォード)のうちに聖霊が栖む／神のない宇宙から浄められた堂宇(どうう)／(そこには嘗(かつ)て天象儀(プラネタリウム)が在った)／その石へ人びとは日毎に足を運び／主(しゅ)の意思に順(したが)って寄進が為される／／聖堂は生き聖堂と共に我らも暁(さと)る／この世で我らを待ち受けるものを／あの世で我らを待ち受けるものを／或いはまた我らはただ／詩を口にするものたち。

洗礼

「岡田さんは洗礼を受けられましたか？」或るとき、職場の日本人の同僚からそう訊かれたことがあり、その後、他(ほか)の人からもそんなことを訊かれたことがありましたが、その理由はよく分かりません。或いは、私の皃（かお）にそんな相でも表れていたのでしょうか。さて、日本では大寒（だいかん）に當たる時季でしょうか、旧暦のユリウス暦の一月六日すなわち新暦のグレゴリオ暦の一月十九日は、露西亜正教会の固定祭日の一つである主の洗礼祭（クレシチェーニエ）若（も）しくは神現祭（ボゴヤヴレーニエ）の日で、アムール河が謂わば「約旦川（ヨルダン）」と化します。いつもは、地元の新聞やテレヴィのニュースでこの祭事に触れるだけでしたが、二〇〇四年の冬には、アムール河畔の聖人インノケーンチイ・イルクーツキイ教会へ予め電話で時間を慥（たし）かめてから出掛けてみることにしました。普段より少し早起きをしてプーシキン通りの寓居を出て、レーニン広場の角から乗ったトロリー・バスをトゥルゲーネフ通りの郷土博物館の分館の前で降り、ところどころ段鼻の剥がれ落ちた石の階段を下ってアムール並木路（ブリヴァール）を真っ直ぐに横切り、緩い坂道を上って赤い煉瓦が雪に映える聖堂へ着くと、信徒の犇めく堂内では、すでに礼拝が行われていました。入って直ぐ右手の蠟燭や小さな聖像画（イコーナ）の売り台の女性に「アムール河での祭事は何時（なんじ）でしょう?」と訊（たず）ねると、二時間後とのこと。その日はとくに用事もなかったので、西向きの扉から聖堂を後にして緩い坂道を下ってレーニン名称スタヂアムを横切ってそのままアムール河の氷上へ出ると、私は、知らぬ間に向こう岸を目指して歩き始めていました。こちらの岸から近いところで四人の若者がすでに主の洗礼祭用の十字架形の孔（あな）を厚い氷に穿（うが）ち始めている傍（かたわ）らを通り過ぎて先へ進んでいくと、犬を連れて凍った河を渉（わた）る人影が逍遥楽派（ペリパトス）のように遠くに望まれ、チャイコーフスキイの交響曲第一番『冬の夢想（ジームニエ・グリョーズィ）』の旋律が耳底を流れ、これまでに出逢い訣れた人たちの俤が泛かんでは消えてゆくのでした。冬のアムール河の乳色の河床は何処までも闊く、主の洗礼祭の冱寒といった意味の「クレシチェーンスキエ・マローズィ（крещенские морозы）」とも呼ばれるこの時季には、吹き晒しの氷上を暫く歩いていると革の長沓を履いた足の尖が凍え、私は、枯れた草や茎が雪の面から疎らに顔を出しているだけの中洲まで来ると、直ぐに踵を返しました。戻りは強い向かい風で、左手に望める熱電併給火力発電所の赤と白の横縞の烟突の天辺からは鉛色の烟りが真横へ倒れており、私は、寒さで顔が千切れそうになるたびに身を捩って風に背を向けたまま暫く佇むということを繰り返しながら、いつの間にかさっきの場所まで来ていました。なんでも、その若者たちは、みんな正教会の信徒で、六年ほど同じ面子で主の洗礼祭の日にそうした氷の十字架を造っているとのこと。私が日本人だと判ると、そのうちの一人が、衣嚢から紀章を取り出して「これは何だい？」と訊ねたので、顔を寄せると、そこには「明治二十一年 日本国赤十字社」と刻印されていました。彼らの話では、厚さ五十糎ほどのその氷の孔は、十字架の四つの端が東西南北を向くように穿たれ、その日に貰い受ける聖水は、一年経っても腐らずに悪霊を逐い払ってくれるそうですが、日本では、大寒の朝に汲む水は一年間腐らないと云われているそうで、そんなところにも、大寒と主の洗礼祭の類似が感じられました。ちなみに、アレクサーンドル・ソルジェニーツィンの短篇小説『マトリョーナの家』には、主人公のマトリョーナが五露里（約五粁）を歩いて教会での主の洗礼祭の聖水式に出掛けたものの式が了わると聖水を容れるために持参した器が悪魔に持ち去られたように消えていた、という場面があったかと思います。さて、教会の鐘の音が岸辺に響き始めると、幟（のぼり）を立てて振り香爐（カヂーロ）を提げた神父と信徒の十字架行進の列が、聖水を湛える氷の孔を目指して連凧（れんだこ）のように近附いてきて、ア・カペラの讃美歌が、アムール河の氷上に静かに流れていきました。ちなみに、私の隣りにいたハバーロフスク出身でワシントン在住の露西亜系米国人の女性は、息子と娘を連れて十一年振りに里帰りしたという露西亜正教会の敬虔な信徒であり、神父が聖句を唱えながら金色の十字架を氷の孔の水に涵（ひた）して信徒へ振り掛ける儀式が始まっても十字ではなくシャッターばかり切っている私にすっかり呆れている容子（ようす）でした。なお、その年は、三百人ほどの信徒がそこに鳩（あつ）まったものの、氷が例年より薄くて割れる惧（おそ）れがあったため、氷上に出ることを許されたのは三十人くらいだったそうで、私は、聖なる場所を一人分奪うことでまた一つ罪を累（かさ）ねてしまったような気がするのでした。

――――冬麗（ふゆうらら）

冬麗（ふゆうらら）。或る冬の朝、南向きの露台（バルコーン）の手摺りに専用のアンテナを立ててある枕辺の短波ラジオでＮＨＫの亜細亜大陸向けの日本語放送を聴いていると、天気予報のところでそんな日本語が流れてきました。気象予報士に依ると、それは、春先を感じさせる麗らかな日和（ひより）を指すそうで、私は、露西亜の作家ミハイール・プリーシヴィン（一八七三～一九五四）の造語らしい「光りの春」へと想いを連ねました。この言葉に出逢ったのは、二〇〇九年の冬に隔月刊誌『ゆきのまち通信』の編輯者より露西亜の「光りの春」についてのコメントを求められたときのことでした。私は、それまで日本語でも露西亜語でもそんな言葉に接したことがありませんでしたが、インター・ネットで検べてみると、露西亜語のサイトにこんな記述がありました。「早春は、プリーシヴィンが一番好きな季節で、作家は、生命の悦びを象（かたど）る「光りの春（ヴェスナー・スヴェータ）」という瑞々（みずみず）しい表現を想い附き、煖（あたた）かい春の訪れを告げる冬の終わりをそう名附けた。一月、二月、そして、三月の初め、凡て、これは、「光りの春」」やはり、この言葉の生みの親は、露西亜中部のオリョール県で生を享けて国内の各地を放浪して一九三八年には『光りの春』という短篇を著しているこの作家なのかも知れません。後日、私は、「光の春」が日本の俳句の季語となっていることを知り、露西亜由来の季語が日本の風土に根附いたことに深い感慨を覚えました。風韻のある言葉は、渡り鳥のように国の境を楽々と踰（こ）えて流布するものなのでしょうか。それまで、冬至を過ぎて年を越す頃から徐々に感じられる透明な美しさを持て余すばかりだった私は、ようやく、この季節を「光りの春」という言葉の花瓶へ挿せるようになりました。

「節分」という文字をパソコンで打とうとすると、私の場合、いつも「拙文」と変換されて、思わず苦笑してしまいます。毎年、節分の頃になると聴取者の方が航空便で福豆をお送りくださり、或る年の二月三日、三階の寓居の露台(バルコーン)から雪の街へ「鬼は外、福は内！」と日本語で喚(わめ)きつつ豆を撒(ま)いたことがありましたが、踟(ためら)いがちだったせいか、暮れ泥(なず)むプーシキン通りの雪の坂道を行き来する人には、酔っ払いの遠吠えくらいに想われたかも知れません。さて、春先のこの時季は、男女の間(あいだ)で贈り物をする祝日が飛び石のように続きます。二月十四日の聖ヴァレンタイン・デーは、露西亜では、ソ連崩壊後に次第に祝われるようになりましたが、女性が男性に贈り物をするというよりも愛する人同士が贈り物を交わす日という感じでした。それから、日本には、桃や端午の節句がありますが、露西亜にも、どこかそれらと似ている祝日があります。二月二十三日は、「祖国防衛者の日」という男性の祝日。この日は、一九一八年のプスコーフ（露西亜北西部の都市）およびナールヴァ（愛沙尼亜(エストニヤ)の都市）の近郊での独逸皇帝軍に対する赤軍の勝利を記念して「赤軍の日」として一九一九年に制定され、赤軍のソヴェート軍への改称に伴って「ソヴェート陸軍および海軍の日」となり、今は「露西亜の軍の栄誉の日々（勝利の日々）に関する」連邦法（一九九五年）に基づいて「祖国防衛者の日」として記念されており、家庭や職場で女性が男性に贈り物をします。また、三月八日は、「国際女性デー」という女性の祝日。一八五七年三月八日、ニュー・ヨークの縫製工場の女性たちが、苛酷な労働条件と低い賃金に抗議するデモを行い、一九〇八年三月八日、ニュー・ヨークで、男女平等をスローガンとする集会が催され、一万五千人以上の女性が、労働時間の短縮や男性と同一の賃金や女性の参政権を求めて市内を行進し、一九一〇年、独逸の社会主義者クララ・ツェトキンが、第二インターナショナルの第八回会議の枠内で八月二十七日に開かれた第二回国際社会主義女性会議において国際的な女性の日の制定を提唱し、それを契機に、三月八日の「国際女性デー」が記念されるようになったそうです。露西亜では、一九一三年に彼得堡（ペチェルブールグ）でこの日が初めて記念され、一九一七年のその日には食糧不足に起因する女性たちのデモが行われ、それは、二月革命の引き鉄（ひがね）になりました。現在、亜爾美尼亜（アルメニヤ）、亜塞爾拝然（アゼルバイジャン）、白露西亜（ベロルシヤ）、具琉耳（グルジヤ）、西班牙（スペイン）、哈薩克斯坦（カザフスタン）、吉爾吉斯坦（キルギスタン）、摩爾多瓦（モルダヴィヤ）、露西亜、塔吉克斯坦（タジキスタン）、土庫曼斯坦（トゥルクメニスタン）、烏茲別克斯坦（ウズベキスタン）、烏克蘭（ウクライナ）では、この日が休日となっているようです。日本でチョコレートが一番売れる日が「聖ヴァレンタイン・デー」なら、露西亜で花が一番売れる日は「国際女性デー」で、この日に女性に花を贈らない男性は珍しく、贈られる花は薔薇が多いようです。この時季の春の光りに包（つつ）まれた雪は、透き徹る青色をしており、私は、それを竊（ひそ）かに「青い影」と名附け、その美しさに心を奪われていました。蹴球（サッカー）に現（うつつ）を抜かしていた男子高の文化祭で同じ町の女子高のマンドリン部の乙女たちが演奏してくれた『プロコル・ハルム』の『青い影』を聴いた昔を、懐かしんだりしながら。そんな露西亜を去る頃に買った『四季』という詞華集（アントローギヤ）には、浅春（せんしゅん）を描写するフョードル・チューッチェフのこんなこんな詩も載っていました。

大地はまだ淋しそうでも／空気はもう春を感じさせ／野原に眠る茎を揺すり／蝦夷松（えぞまつ）の枝を嫋（そよ）がせる／自然は目覚めていないが／薄れゆく眠りを透して／それは春の聲を耳にして／思わず春に微笑んだ……／／心よ、お前も眠っていた……／なにがお前を動悸（とき）めかせ／眠りを撫でそれに口附け／その夢を金に染めるのか？／雪の塊りが燦（きら）めき融ける、／蒼穹（そうきゅう）が耀（かがや）いて血が戯れる……／或いは、それは春の陶酔？／或いは、それは乙女の愛？

謝肉

謝肉祭と云えば、ヴェネツィアやリオ・デ・ジャネイロのカーニヴァル、ロベルト・シューマンやカミーユ・サン゠サーンスの楽曲が連想されますが、東方教会圏の露西亜にも、西方教会圏の謝肉祭に當たる乾酪（マースレニッツァ）（かんらく）の週と呼ばれる古代スラヴ人が祝い始めた祭りがあります。その時期は、復活大祭(パースハ)前七週目の日曜日の翌日から復活大祭の前日までのほぼ七週間に亙る大斎(ヴェリーキイ・ポースト)へ入る前の一週間、つまり、復活大祭の五十五日前の月曜日から復活大祭の四十九日前の日曜日までの一週間で、この週には、人々が、露西亜風クレープ(ブリーン)を焼き、黄油(バター)や蜂蜜や魚卵(イクラー)や鮭鱒(サーモン)などを包(つつ)んでそれをいただき、宴や遊戯、橇辷(そりすべ)りや野外の祭り(ナロードヌノエ・グリャーニエ)などに興じ、赦罪の主日(プロシチョーノエ・ヴォスクレセーニエ)と呼ばれる最終日の日曜日には、互いに罪の宥(ゆる)しを乞い、冬に見立てた藁人形を燔(や)き、待ち焦がれた春を迎えます。この乾酪の週(マースレニツァ)という名称は、油を意味するマースロ（Масло）という露西亜語に由来しているそうですが、冬の終わりと春の始まりを象(かたど)るこの祝祭は、冬送り(プローヴォディ・ジムィー)とも呼ばれてきました。二〇〇四年の乾酪の週(マースレニツァ)は、ハバーロフスクでは、市内の三ヶ所で催されましたが、最も盛大な催しは、バスで一時間ほどの北郊のアムール河を見渡せる美しい森で行なわれました。空地に設(しつら)えられた舞台では、仮装した藝人たちが陽気に歌い踊り、四囲の丘からは、雪の斜(なぞへ)を辷り降りる子供たちの歓聲が聞こえてきます。あちらこちらで家族連れがシャシルィークと呼ばれる露西亜風のバーベキューをしており、火を熾(おこ)して串に刺した肉を炙(あぶ)る烟(けむ)りと匂いが樹間を流れ、一緒に如何ですかと聲を掛けてくれる人もいました。林道の傍(かたわ)らでは、紅茶と黒麵麭(パン)と牛乳(ミルク)風味の甘い粥(カーシャ)が無料で振る舞われ、屋台では、綿飴や飲み物、ピロシキーや串焼き肉、丸底の大鍋で炒めたピラフ(プローフ)、黄油や魚卵や醱酵クリーム(スメターナ)を載せた露西亜風クレープ(ブリーン)などが売られています。行き交う人の顔は、春を迎えた歓びに溢れ、乙女たちの鼻唄(ハミング)が、何処(どこ)からか聞こえてきます。

木登り遊びの会場は、黒山の人集り（ひとだかり）。我こそはという若者が、登り易いように半裸となり、枝を払い皮を剥（は）いだつるつるの木の棒に攀じ登り、天辺に吊るされている景品を獲ってくるのですが、あれもこれもと欲張る人や木に足を絡ませて三鞭酒（シャムパン）の栓を抜いて喇叭（らっぱ）飲みする猛者（もさ）もいて、下界は爆笑の渦。和（なご）やかなその雰囲気は、どこか日本の花見を想わせ、私は、「露西亜の縁日」などと呟（つぶ）やきながら早春の森を妻と後にしたことでした。ちなみに、露西亜の音楽にも、乾酪の週（マースレニツァ）を題材とした作品があります。謝肉祭の人形芝居小屋を舞台としたイーゴリ・ストラヴィーンスキイのバレエ音楽『ペトルーシュカ』では、覆（くつが）された宝石匣（ばこ）のような旋律からこの祝祭の華やかさが想像されますし、ピョートル・チャイコーフスキイのピアノ曲集『四季』の二月には、『乾酪の週（マースレニツァ）』という題名がつけられ、ピョートル・ヴャーゼムスキイ（一七九二～一八七八）の『異郷での乾酪の週（Масленица на чужой стороне）』という詩の次の部分から採った題辞（エピグラフ）が添えられています。

直（ぢき）に賑やかな謝肉祭の／盛大な酒宴が沸き立ち／クレープ（ブリーン）にも浸酒（ナストーイカ）にも／受洗の世が舌鼓を打つ／／お前のために露西亜が／正教の祖先たちの娘が／氷の辷り台を拵え／昼も夜も漫ろ歩く。

また、バス歌手のフョードル・シャリャーピンの持ち歌（レパートリー）であったアレクサーンドル・セローフ（一八二〇〜七一）の歌劇『悪の力（Вражья сила）』の『エリョームカの歌（Песня Ерёмки）』には、こんな一節があります。

　おいらは自分のかみさんを慰め、おいらは撥弦楽器（バラライカ）を手に把る！／盛大な乾酪の週（マースレニツァ）、お前は何とやってきた？　お前は何とやってきた？／娯楽と、歓喜と、種々（くさぐさ）の甘味と／パイ（ピローグ）と、パン・ケーキ（オラーヂャ）と、熱いクレープ（ブリーン）と／旅藝人（スコモローフ）と、擦弦楽器（グドーク）弾きと、笛（ドゥダー）吹きと、風笛（ヴォルィーンカ）吹きと／大麦の麦酒（ビール）と、蜂蜜を更に加えた濃厚な蜂蜜酒と。

大斎

　基督（キリスト）教の用語である大斎は、カトリック教会では「だいさい」、聖公会では「たいさい」、東方正教会では「おおものいみ」と読まれるそうですが、露西亜の謝肉祭に當たる乾酪の週（マースレニツァ）から復活大祭（パースハ）までの間（あいだ）には、耶蘇基督（イイスス・ハリストス）の四十日間の断食に由来する大斎（ヴェリーキイ・ポースト）と呼ばれる斎戒期があり、毎年、この時期になると、精進料理が新聞などで紹介され、例えば、二〇〇七年二月二十二日附けの『沿アムール報知（プリアムールスキエ・ヴェードモスチ）』には、次のような食譜（レシピ）が掲載されていました。

豌豆《えんどう》のスープ。材料は、豌豆（四百瓦《グラム》）、パセリ《ペトルーシカ》の根（一本）、人参（三〜四個）、玉葱（一〜二個）、向日葵油《ひまわりあぶら》（二十五瓦）、鹽（お好み）。洗った豌豆を水に浸し、一時間ほどしたら水を流す。用意した野菜を細かく刻み、狐色になるまで油で炒める。炒めた野菜を豌豆と混ぜ、熱湯を加え、二十〜三十分煮て、鹽で味を調える。ディル《ウクロープ》の微塵切りを泛《う》かべて出来上がり。

蕎麦入り茸スープ。材料は、馬鈴薯（百瓦《グラム》）、蕎麦の実（三十瓦）、干した茸（十瓦）、玉葱（二十瓦）、向日葵油（十五瓦）、パセリ《ペトルーシカ》やディル《ウクロープ》などの香草。賽の目に切った馬鈴薯を茹で、蕎麦の実、水で戻した茸、軽く炒めた玉葱、適量の鹽を加え、暫く煮たら香草を添えて食卓へ。

蕎麦の露西亜風クレープ《ブリーン》。前日の晩、蕎麦粉（三カップ）に熱湯（三カップ）を加え、よく混ぜて一時間ほど寝かせる。蕎麦粉がないときは、蕎麦の実を珈琲ミルで挽く。生地が冷めたら、熱湯（一カップ）を加え、生地が温かくなったら、水（半カップ）に溶いた酵母《イースト》（二十五瓦）を入れる。翌日の朝、鹽を加えて生地をよく混ぜ、温かい場所に置いて生地が膨らんだら、平底鍋《フライ・パン》で一枚一枚薄く焼いていく。熱々の露西亜風クレープに、茄子や南瓜の練り物《ペースト》、苺《ベリー》の露西亜風ジャム《ヴァレーニエ》などを載せていただく。

短剣

　新感覚派の旗手、横光利一に、『春は馬車に乗って』という短篇がありますが、アムール河の畔りで初めて迎える春は、氷の短剣と共にやってきました。或る日、まだ風の冷たい河（ナー）岸通り（ベレジナヤ）から毀（こぼ）たれた石の段を下りると、沙（すな）の岸には、厚ぼったい流氷が乗り上げていました。それは、透き徹る短剣を無数に束（つか）ねた霜柱のお化けのようで、指尖（ゆびさき）で触れると、春の息を吹き掛けてくるのでした。一年の半分近くに當たる十二、一、二、三、四の五ヶ月は氷の面帕（ヴェール）に覆われるアムールの河明けは、紙芝居を一枚捲（めく）るように、或いは、瞬きを一つしたかと思うと、もうそこに訪れており、放送センター（ドーム・ラーヂオ）の五階の翻譯室から瞰（みお）ろすと、昨日はまだ氷の痘痕（あばた）だらけだった河が、今日はもう蒸し毛巾（タオル）を當てて髯を剃ったようにさっぱりとして、ほぼ半年振りに姿を見せた水は、羞（は）じらうように漣漪（さざなみ）を刻んで青空を映しているのでした。眠りから覚めたアムール河は、ほどなく口風琴（ハーモニカ）みたいな水上バスや遊覧船を弋（う）かべ、音符のない譜面のように夏の調べを奏で始めます。私にとって、この河は、心を映す鏡であり、無言で佇（たたず）む友であり、無心に瞶（みつ）める聖像画（イコーナ）のようでした。

復活

一九八一年の春でしたか、在京の学生が寄り鳩まった露西亜語劇のインターカレッジ・サークル『コンツェルト』の仲間たちと神田川の聖橋の袂で待ち合わせて駿河台のニコライ堂すなわち東京復活大聖堂（Собор Воскресения Христова）の復活大祭を拝観して朝を迎えたことがありましたが、ハバーロフスクへ移り住んで半年ほど経った一九九〇年の春に、復活祭彩蛋を初めて目にしました。マグダラのマリヤに耶蘇基督の復活を告げられても聞く耳を有たないローマの皇帝が「そんなことは、お前の手にした白い卵が赤くなるようなもの」と一笑に附した途端に赤く染まったとも云われる卵を。新婚ほやほやの知り合いの女性が私の社宅へ何個か届けてくれたその卵は、玉葱の薄皮と一緒に茹でられたために樺色に染まっていたり、色絲を巻き附けて茹でられたためにドライ・ポイントみたいに引っ掻いたような文様を纏ったりしており、そんな露西亜の愉しい茹で卵を眺めていると、重力の絲を垂直に貫き通す心象で生卵を彳たせては小さな奇蹟のように喜んでいた母国での日々なども、想い出されてくるのでした。さて、二〇〇七年の復活大祭は四月八日でしたが、その三日後の四月十一日、日本での休暇を了えて久し振りに放送局へ行くと、同僚の露西亜人たちが、隣りの救世主顕栄主教座大聖堂のほうを窗(まど)から瞰(みお)ろしています。大聖堂の前庭には、聖職者と信徒が縦に列なり、その列が、真っ直ぐに堂内へ続いています。なんでも、聖金口(ヨアンネス・クリュソストモス)イオアンの聖骸がヴァチカンから運ばれてきたとのこと。私は、一瞬、耳を疑いましたが、當地で奉仕活動をされる日本人シスターさんたちの笑みが目に泛(う)かび、露西亜正教会とカトリック教会という東西の教会の間(あいだ)の蟠(わだかま)りが氷解し始めるのを感じました。ちなみに、すでに日本へ帰国した後(あと)でしたが、二〇一六年二月、私は、露西亜正教の総主教とローマ法王の会談について報じる「九百六十年越し和解へ」という見出しの記事を新聞で目にしました。さて、聖金口イオアンは、ピョートル・チャイコーフスキイやセルゲーイ・ラフマーニノフの『聖金口イオアン聖体礼儀（聖ヨアンネス・クリュソストモスの典礼）』という無伴奏合唱曲でも知られる四世紀の基督(キリスト)教の神学者で、東京のニコライ堂の東面(とうめん)の北側の花窗玻璃(ステンド・グラス)に描かれているそうですが、その聖骸の小片を届けにハバーロフスクを訪れたカトリック枢機卿(すうききょう)のステファノ濱(はま)尾文郎(おふみお)さんの談話に依れば、こうしたヴァチカンの発意は、カトリック教会の露西亜正教会への敬意を象徴すると共に露西亜極東における神学教育や布教活動を支援するものとのことでした。その日、いつもより不揃いで愉しげな鐘の音に誘われて大聖堂へ寄ってみると、知り合いの修道司祭インノケーンチイさんが、好(よ)かったら鐘楼へ登ってみてはと云うので、二百三十段の九十九折(つづら)りの階(きざはし)を息を切らして登ってみると、春霞の棚曳く絶景が広がり、アムール河はまだ氷に覆われていたものの、頬を撫でる風はもう冷たくなく、永い冬が終わりを告げているようでした。六角形か八角形の亭(あづまや)を想わせる吹き晒しの鐘楼には、紐を引いて鳴らす大小六つの鐘と踏み板(ペダル)を踏んで鳴らす大きな二つの鐘の合わせて八つの鈴蘭形の鐘が横に列んでいて、登ってきた人たちが、一人づつ踏み台に上(のぼ)っては紐を把(つか)んで鐘を鳴らしており、私も、絲操り人形(マリオネートカ)を初めて持たされた子供のようにぎこちなく紐を揺すって鐘を鳴らしてみるのでした。翌年には、取材を兼ねて録音機(ヴォイス・レコーダー)を手に工事現場のような細い通路を伝って鐘楼から鐘楼へと渡り歩いたのですが、通路から下を瞰(み)ると懼(おそ)ろしくて内股がすうっとしたことでした。ちなみに、このように聖堂の鐘楼が一般に開放されるのは、光明(こうめい)週間と呼ばれる復活大祭後の一週間の朝課と晩課の後(あと)に限られるとのことでした。余談ながら、日本へ帰国した後(のち)に島崎藤村の『千曲川のスケッチ』で「光岳寺(こうがくじ)の境内にある鐘楼(しょうろう)からは、絶えず鐘(かね)の音(ね)が町々の空へ響いて来た。この日は、誰でも鐘楼に上(あが)って自由に撞(つ)くことを許してあった」(「その三/十三日の祇園」より)との一節に出逢ったときには、日露の鐘の音が交差(クロス)するようでした。今も、復活大祭の頃には、耶蘇基督(イイスス・ハリストス)の復活を歓ぶ人々の想いを乗せて響き渡る正教会の鐘の音が耳底を過(よぎ)ります。春風の中を軽やかに奔(はし)り抜ける馬車のように。

死霊(しりょう)

暑さ寒さも彼岸まで。日本には、そんな慣用句がありますが、露西亜にも、どこか彼岸を想わせる慣例の行事がありました。二〇〇五年五月九日の戦勝六十周年記念日の翌日、麗(うら)らかな日和(ひより)に誘われて、私は、御茶と御結びと茹で卵と撒き水を持って、妻と二人で義母の墓へ参りました。レーニン広場の角の最寄りのバス停はいつになく人で溢れ、何台か見送ってからやっと増便のトロリー・バスに乗ることができました。その日は、恰度(ちょうど)復活大祭(パースハ)から九日目の火曜日で、親族追善供養(ロヂーチェリスキイ・ヂェーニ)の日に當たっていたのです。道が混み合って車がなかなか前へ進まないので、二つ三つ手前の停留所で降りて徒歩(かち)で墓地の入り口に辿り着くと、いつもは追い剥ぎに出喰わさないだろうかと妻と心配するくらい人気(ひとけ)のない森の中の墓地も、その日はとても賑やかで、生花や造花の売り台の他(ほか)にピロシキーやホット・ドッグの売店まで出ていました。無数に竝んだ三畳か四畳ほどの広さの墓所の一つ一つには、地面を掃き清めたり柵のペンキを塗り直したりしてから備え附けの小卓を囲んで故人を偲びつつ烟草(たばこ)を燻(くゆ)らしたり自家製の胡瓜(キュウリ)や蕃茄(トマト)のピクルスや市販のチーズやソーセージなどを肴に火酒(ヴォートカ)の盃を乾したりする家族連れの姿がありましたが、そこには、死者と生者が再会してピクニックを愉(たの)しんでいるような趣きがありました。義母の墓の掃除が済んだ頃、妻の弟の夫婦もやってきて、和(なご)やかな戸外での昼餉(ひるげ)となりました。帰宅後に読んだその日の地元の新聞に「今日は、親族追善供養の日。それは、招霊祭(ラードニツァ)とも呼ばれる。なぜなら、基督教(キリスト)の伝承に依れば、この日は基督(ハリストス)復活の歓び(ラードスチ)が死者たちへ届けられるから」とあったので、招霊祭の意味を調べてみると、露西亜の正教会の神学事典には「故人を追悼する日、光明(こうめい)週間（復活大祭後の一週間）後の第一週、謂わゆるトマス(フォマ)の週の月曜日、場所によっては火曜日」とあり、ブロックハウス・エフロン百科事典には「故人のための異教の春の太陽の祭り、聖金口イオアン(ヨアンネス・クリュソストモス)に依れば、すでに古代に基督教の墓地でたいていトマスの週の火曜日に行われていた。」とありました。ちなみに、セルゲーイ・エセーニンは、処女詩集に『招霊祭(ラードゥニツァ)』（一九一六年）という題名を附けています。また、この祭りからは、中国の踏青節(ターチン)や沖縄の清明祭(シーミー)といった東洋の風習へも想いが連なります。

少年

或るとき、日本の聴取者より「私の実家では父の植えた福寿草が可愛らしく咲いていています。どんな人が植えても花は可愛らしく咲いてくれるものなんだなと感心しています」という微笑ましいお便りが届きました。福寿草は、露西亜語では、アムールの美少年といった意味でしょうか、アドーニス・アムールスキイ（адонис амурский）と云うそうなので、原産地はこの辺りかなと想いつつ、露西亜語の百科事典で調べていると、「沿海地方ではよくポドスニエージニク（подснежник）と謬(あやま)って呼ばれている」という記述に出合い、いつか早春の街角で黄色い可憐な花を売る女性に花の名を訊ねたら「ポドスニェージニク」という応えが返ってきたことが想い出され、あれは福寿草だったのかと合点がいったことでした。後日、見知らぬ青い花の名を訊ねたときにも同じ応えが返ってきたので首を傾げたのですが、どうやら、ポドスニェージニクとは、露西亜の詩人でウィリアム・シェイクスピアのソネットの翻訳でも知られるサムイール・マルシャークの児童劇『十二の月（邦題 森は生きている）』に出てくる待つ雪草(スノー・ドロップ)を意味するばかりでなく、雪融け後に一斉に咲き始める花の総称でもあるようで、手元の事典では、大蔓穂(シラー)、銀蓮花(アネモネ)、番紅花(クロッカス)、肺草(プルモナリア)、翁草(オキナグサ)、洲浜草(スハマソウ)、屋根万代草(ヤネバンダイソウ)、西洋福寿草(セイヨウフクジュソウ)、姫蔓日々草(ヒメツルニチニチソウ)などが、例として挙げられていました。

桜桃

そちらにも桜はありますかと日本の聴取者に訊かれると、日本のような桜はないようですと応えるのが常でした。一九九〇年代の半ばでしたか、『むさしの・多摩・ハバロフスク協会』によってハバーロフスクへ搬ばれた大山桜(オオヤマザクラ)の苗が、路面電車(トラムヴァーイ)の停留所『樹木園(デンドラーリイ)』の傍のヴォロチャーエフスカヤ通り七十一号棟の極東林業研究所の敷地に植えられたものの、巧いこと根附かなかったそうですが、二〇一一年の国際森林年に同協会によって今度は北郊の西比利亜（シベリヤ）抑留者を慰霊する平和祈念公苑に特製のポットで寒さから根を護られた蝦夷山桜（エゾヤマザクラ）が植樹されたそうなので、いつか朔北（さくほく）の地で花の宴が張られるようになるかも知れません。さて、日本のような桜ではありませんが、レーニン通りとシェローノフ通りのバス停の傍に春になると桜に似た小振りの花を咲かせる低木が何本かあったので、「これは、何の木ですか？」と通り掛かった人に訊ねてみたのですが、「李（スリーヴァ）」と云う人もいれば「桜桃（ヴィーシニャ）」と云う人もおり、植物の名は専門家に訊くしかないのかと感じたことでした。また、レーフ・トルストーイ通りとキム・ユ・チェン通りの角には、根元から何本も伸びた細長い枝に透き間なく可憐なピンクの花を咲かせる大人の背丈ほどの低木がありましたが、後にこの低木とそっくりの画像をインター・ネットで目にし、それが西比利亜桜とも呼ばれる楡葉桃（オヒョウモモ）であるらしいことが判りました。それから、プーシキン通りの五階建てのフルシチョーフカ（フルシチョーフ時代に建てられた集合住宅）の三階にある寓居の台所（クーフニャ）の窓（まど）から手の届きそうなところには、日本語では蝦夷上溝桜（エゾノウワミズザクラ）と呼ばれ英語ではバード・チェリー（bird cherry）と称されるチェリョームハという薔薇（バラ）科の落葉高木が生えており、この木が、親鳥を待つ雛の嘴（くちばし）のように上を向いた蕾（つぼみ）を綻（ほころ）ばせ、鵞（が）ペンのように繊（ほそ）くて尖った萌え黄色の葉をつんつん伸ばし、乙女の吐息のような白い小花を房状に附けると、甘酸っぱい馥（かお）りに心が盪（とろ）けそうになる春の迸（ほとばし）りが感じられ、私は、その時季のこの町を、清岡卓行の『アカシヤの大連』に擬（なぞら）えて、「チェリョームハのハバーロフスク」と呼んでいました。「花冷え」や「リラ冷え」ならぬ「チェリョームハ冷え」という云い方を新聞で目にすることもあるこの時季には、台所の有線放送受信機（グロムコゴヴォリーチェリ）から『窓辺（まどべ）でチェリョームハが揺れている（Под окном черемуха колышется）』という歌が流れてきたりするのでした。

チェリョームハが揺れている／窓辺で花葩（はなびら）を散らしながら／川向こうにあの聲が聞こえる／夜徹し夜啼き鶯が啼いている／／夜啼き鶯の囀（さえず）りよ、お前は／どんなに心を揺さぶることか／愛へ向かう道程（みちのり）は長いから／少しでも後れたら、至れない／／至れば、幸せで息もできない／甘い告白で、そして、情愛で／その時は、チェリョームハが揺れ／夜徹し夜啼き鶯が啼きますように。

行春（ぎょうしゅん）

アムールが河明けして、縮緬皺（ちりめんじわ）の水面（みなも）や「仔羊たち（バラーシキ）」と呼ばれる白い波頭（なみがしら）が現れると、ハバーロフスクの近辺を一時間ほど掛けて航行する口風琴（ハーモニカ）形の遊覧船や河口に近いニコラーエフスク・ナ・アムーレ（尼港《にこう》）とハバーロフスクの間《あいだ》を二日ほど掛けて往復する流線形の水中翼船《メチェオール》の他《ほか》に、十五路線ほどある水上バスの運行も始まり、多くの市民が、アムール河の浮き洲や支流沿いのダーチャ（小屋附きの家庭菜園）へ通うようになります。また、中国の撫遠《ふえん》というアムール河（黒龍江）沿いの町へ定期船で出掛け、毛皮外套《シューバ》などの買い物や中華料理やマッサージを娯しんでくる、という人もいるようでした。ハバーロフスクでは、風薫るこの季節、中心街や並木路《ブリヴァール》や河岸通りに、矩形の天幕《テント》を張ったり円形の傘《パラソル》を展《ひら》いたりした屋外のカフェ《レートニェエ・カフェー》がお目見えし、食料品店の前には、露西亜の清涼飲料クヴァースを洋盃《コップ》や卮《ジョッキ》に注いでくれる露店が現れます。大学では、日本語の弁論大会やカラオケのコンクールといった催しが企画され、審査員を務めたこともありましたが、弁論大会では、谷川俊太郎の『朝のリレー』や星野富弘の『いわし』といった詩や夏目漱石の『夢十夜』といった小説や『鶴の恩返し』といった昔話しの見事な諳誦に脱帽し、名前、俳句、生と死、母と娘、文化の継承、理想の仕事、オノマトペアなどをテーマとしたスピーチに感銘し、カラオケのコンクールでは、私の知らない日本の流行《はや》り歌を振りを交えて熱唱する学生たちの姿に隣国への一途《いちず》な憧れが感じられたことでした。五月には、パレードも盛んに催され、五月一日の春と勤労の祝日には、勤労者のパレード、五月九日の対独戦勝記念日《ヂェーニ・ポベードィ》には、現役や退役の軍人や戦車や大砲のパレード、そして、五月三十一日の市の創建記念日に近い週末には、市内の企業や大学や地区を代表するチームが想い想いの趣向を凝らして中心街を練り歩くパレードが行われ、そのパレードには、新潟などの姉妹都市のチームが参加することもありました。それらのパレードが済むと、人々は、広場の特設ステージで演じられる歌や踊りを娯(たの)しんだり、香ばしい匂いに誘われて屋台の串焼き肉を購(もと)めたり、開心果(ピスタチオ)や薯片(ポテト・チップス)を抓(つま)みに麦酒(ビール)で喉を潤したり、アムール河岸通りやレーニン名称スタヂアムの遊歩道を漫(そぞ)ろ歩いて風に吹かれたりするのでした。この時季になると、レーニン広場の噴水も、冬中纏(ちゅうまと)っていた覆いを外されて青空へ水を噴き上げ、市の創建百周年に當たる一九五八年に開通した全長二粁(キロ)半の『子供鉄道』(カール・マルクス通り百九б(ベー)番地)では、『小さな鷲(オルリョーノク)』号が、汽笛を鳴らしながら『ピオネールスカヤ』と『ユビレーイナヤ』の両駅を往復し始めるのでした。

夏至

ハバーロフスクの夏は、空の梯(はしご)を一気に駈け上がるようにやってきました。六月を露西亜語の事典で調べると、「ユノ(ローマ神話のユピテルの妻)の月(месяц Юноны)」とあり、「六月には空焼けが畳(かさ)なる」といった慣用句が紹介されていましたが、後者は、夜の短さを指しているのでしょうか。地図で見ると、ハバーロフスクは、ドストエーフスキイの『白夜』の舞台となった彼得堡(ペチェルブールグ)などと比べて緯度がずっと低いものの、夏至の頃には、なかなか日が沈まないのでした。この時季には、毎年、在ハバーロフスク・サハ共和国(ヤクーチヤ)常設代表部の主催によるイシアフ（Ысыах）という古(いにしえ)の祭りが北郊の森で行われ、その模様がテレヴィや新聞で伝えられていました。なんでも、その昔、サハ人は、一年を冬（秋冬）と夏（春夏）の二季に分け、夏至に催されるイシアフは、旧いものと新しいものの節目、来し方と行く末を分かつ正月、自然と人間の甦りを祝う祭りと考えられ、九日ほど続くこともあったそうです。ちなみに、この馬乳酒祭(イシアフ)のことは、井上靖の『おろしあ国酔夢譚』でも触れられています。さて、長い冬を越して夏へ至った人々は、生の喜びを頒(わか)ち合い、馬乳酒(クムィース)を客人に振る舞い、伝統的な競技や競馬や英雄叙事詩(オロンホー)の喉自慢などに興じますが、圧巻は、鳩(あつ)まった人々が手を繋いで時計廻りに歩を運ぶ「命の輪(オスオハイ)」と呼ばれる嫋(たお)やかな輪舞で、それは、生命の讃歌そのもののように感じられたことでした。

白絮(はくじょ)

立原道造(たちはらみちぞう)の「羊の雲の過ぎるとき」で始まる『雲の祭日』という詩には、「白いしイろい絮(わた)の列」という言葉が出てきますが、私には、それがなんとなく楊(トーポリ)の綿毛のように想えてきます。「トーポリ（тополь）」を手元の露和辞典で引くと、「ポプラ（ハクヨウ、セイヨウハコヤナギ、ドロノキ、ヤマナラシなど、ポプラ属の総称）」とあります。白茶（しらちゃ）の幹の滑（すべ）らかな肌、箒（ほうき）を逆さにしたような枝、色褪せた感じの緑の葉、お喋りを愉しんでいるような梢。

そんな楊を見上げていると、青い空がますます高くなって心が吸い込まれそうになるのでした。それから、あれは、楊の芽を包（くる）む殼だったのでしょうか、曲がった燐寸（マッチ）のような山吹き色の殼（から）が、舗道に幾つも落ちており、沓（くつ）にくっ附けて帰宅することもありましたが、甘酸っぱいその馥（かお）りは、雨が降るといっそう切なく胸に沁みてくるのでした。柳絮（りゅうじょ）を沢山出すので楊は苦手という人や、黒眼鏡（サン・グラス）を掛けて絮（わた）を避（よ）ける人もいましたが、私は、そんな綿毛の舞うなかを歩くのが好きでした。尤（もっと）も、最初は、このふわふわしたものは何だろうと首を傾げ、サハリーン出身の同僚の奥さんが日本語で「ここの人たち、また蒲団を干して叩き始めたよ」と仰るので、「そうか、永い冬の間（あいだ）に湿っぽくなった蒲団を一斉に干しているのか」と鵜呑みにしていたのですが、布団の綿埃らしきものは日に日に嵩（かさ）を増して眼路（めぢ）を遮（さえぎ）るほどになり、漸（ようや）くそれが柳絮であることに気附いたのでした。それにしても、若（も）しもそれが他（ほか）の色だったなら、こんなに心を惹かれたでしょうか。楊の絮を想うときには、白という色の不思議を想います。

無聲

アムール河畔の私の夏は、白い下帯（したおび）を締め、白い半洋袴（ズボン）を穿（は）き、白い襯衣（シャツ）を着て、白い沓下（ソックス）を履き、白い帽子を冠（かぶ）り、白い柳絮（りゅうじょ）の街を彷徨（さまよ）う季節。汀（みぎわ）では、肌を晒して水浴や排球（バレボール）に興じる人の姿も見られました。この時季は、学校も大学も職場も休暇に入り、子供らはキャンプへ出掛け、学生らは郷里へ帰り、大人らはダーチャ（小屋附きの家庭菜園）で憩い、映画館や野外音楽堂を除いて劇場やコンサート・ホールも閉まり、街は、トロリー・バスの扉がばさっと開閉する蝙蝠傘（こうもりがさ）みたいな音や噴水の音の他（ほか）は音のしない夢幻劇のようでした。余りに閑（しず）かなので蟬時雨（しぐれ）が戀しくなることもありましたが、露西亜語でツィカーダと呼ばれる蟬は、スヴェトリャークと呼ばれる蛍と同様、地元の作家が郷土の自然を描いた作品で触れたことがあるだけで、姿を目にしたことも聲を耳にしたこともありませんでした。そんな夏の沈黙を劈（ひら）くのは、ときおり訪れる驟雨（しゅうう）で、遠雷が蹙（せま）り、稲妻が走り、雨脚が強まり、落雷しそうになると、私は、ラヂオを切り、テレヴィを消し、蠟燭を出し、馬穴（バケツ）を覆したような雨を露台（バルコーン）越しに眺めてから、寝椅子（ヂヴァーン）へ引っ繰り返るのでした。さて、ハバーロフスク市と新潟市の姉妹提携二十五周年に當たる一九九〇年の夏、長岡の伝説の花火師、嘉瀬誠次さんが陣頭指揮を執って催されたハバーロフスクでは恐らく初めての本格的な日本の花火大会が、その壮大な規模(スケール)と繊細な詩美で地元の老若男女の度肝を抜き心を奪いました。会場となったアムール河畔は、日のあるうちから徒歩や臨時運行のバスなどで詰め掛けた肩々相摩(けんけんあいま)す見物人で埋まり、暮れ泥(なず)む空に火の華が咲き始めると、人々は、息を呑み、歓聲を上げるのでした。私は、知り合いの露西亜の若者たちとレーニン名称スタヂアムの遊歩道に佇(たたず)んで、玉響(たまゆら)の光りの帯が解(ほど)けて色や姿を変えつつ転(まろ)び消えていく伯林青(ベルリン・ブルー)の空を見上げていましたが、馬の尻尾のような炎の房が抛物線(ほうぶつせん)を描いて水面(みなも)へ垂れてきたときに長身で痩身の青年が私のほうをにっこりと振り向いて小さく呟いた「ライ麦(ローシ)！」という一言は、今も耳底(じてい)に残っています。後年、地元の音楽家の老夫婦が「マエストロ嘉瀬」に捧げる自作自演の歌を吹き込んだカセット・テープを放送局へ届けてくれて、それを日本向けに拙譯を添えて放送させてもらったこともありました。今も語り草になっているあの花火へ想いを馳せると、「ブラーヴォ！」という無数の歓聲が甦るようですが、嘉瀬さんが西比利亜(シベリヤ)抑留を体験されており異国で仆(たお)れた友のためにあの花火を打ち上げられたことを知ったときから、その記憶は、鎮魂歌(レクイエム)の色合いを帯びるようになりました。

晩夏

葉月は、前半には、六日の広島の日、九日の長崎の日、十五日の朝鮮民族の光復節（解放記念日）と、第二次世界大戦に関連した記念日が続き、後半には、十四日（旧暦一日）の蜂蜜祭（メドーヴィ・スパース）、十九日（旧暦六日）の苹果祭（ヤーブロチヌイ・スパース）（主の顕栄祭）、二十九日（旧暦十六日）の収穫祭（フレーブヌイ・スパース）と、露西亜正教会の救世主祭（スパース）が続きました。この時季になると、農場やダーチャ（小屋附きの家庭菜園）で採れた蔬菜（そさい）や果物が市場の露店に竝び、苹果祭のときには、ヂナーモ公園の花壇やベンチのある闊（ひろ）い遊歩道などを会場とする自家製の農作物の品評会を兼ねた即売会が催され、収穫を歓ぶ人たちの日に焦（や）けた笑顔が色取り取りのパラソルの蔭で弾けていました。この頃には、沿海地方のナホートカやウラヂオストークへ列車や自家用車で海水浴に出掛けていた人たちも戻り始め、ラヂオからは、『八月（Август）』（詩 イーンナ・ゴーッフ、曲 ヤーン・フレーンケリ）というソ連時代の沈鬱（メランコリック）な歌が流れてくるのでした。

もう直ぐ秋、窗（まど）の外は八月／雨に濡れて、灌木は黝（くろ）ずむ／今は貴方が私を好きなのね／嘗（かつ）て私が貴方を戀した様に／どうして貴方は愁いに沈み／私といてもそう淋しげなの／八月には叶わないというの／春のはじめには叶うことが／／窓の外では、花楸（ナナカマド）が朱らみ／雨が頻りに窓を敲いている／なんて哀しいの、心の傷を／忘れることができないのは！／貴方が愁いに沈むのも尤（もっと）も／私といて淋しげなのも尤も／八月には叶わないみたいね／春のはじめには叶うことが。

玻璃（はり）

日本の秋が、障子（しょうじ）や植物だとしたら、大陸の秋は、硝子（ガラス）や鉱物でしょうか。ハバーロフスクでは、夏が去ると、九月一日の知識の日（ヂェーニ・ズナーニヤ）に新学年が始まり、学び舎でも職場でも休暇気分が徐々に薄らいで、市場の露店には南瓜（カボチャ）や大根が竝ぶようになり、野の花も、雀斑（そばかす）のあるお転婆みたいな緋色（スカーレット）の百合（サラーナ）から乙女の吐息のような薄紅の秋桜（コスメーヤ）へと移ろいます。そして、日本の残暑や北米の「インディアンの夏（インディアン・サマー）」を連想させる「女人（にょにん）の夏（バービエ・レータ）」と呼ばれる小春日和はあるものの、九月の末には、もう薄手のオーヴァー・コートが欲しくなることもあり、日本の秋霖（しゅうりん）の風情を感じることのないまま、一日の平均気温が摂氏プラス八度を超えない日が三日続くと、温水式の集中煖房の季節が始まり、各部屋の壁際に据えられた鋳鉄（ちゅうてつ）製のラジエータ（バターレーヤ）から円（まど）やかな温もりが放たれるのでした。毎年、秋の気配を感じるときには、日本では、『秋の瞳』というクリスチャン詩人の八木重吉の詩集が想い出されましたが、露西亜では、『秋（オーセニ）（Осень）』（詩 エリザヴェータ・ベロゴールスカヤ、曲 ヴァヂーム・コージン）というソ連時代の抒情的小歌曲（ロマーンス）を歌う流竄（るざん）の歌手ヴァヂーム・コージンの凛（りん）とした聲が耳底（じてい）を流れ始めるのでした。

秋、透き徹る朝／霞んだような穹／真珠母（しんじゅぼ）色の彼方／冷たく遠い日影（ひかげ）／／今は何処、最初の出逢いは／鮮烈で妙なる邂逅（めぐりあい）は／あの夏の忘れ難（がた）ない夕べの／ゆくりなく愛しき出逢いは／／行かないで、お願いだから／愛の言葉を何遍も囁くから／もう直ぐ秋、それは、慥（たし）か／でも、頼むから行かないで／／この一隅は、窮屈なもんか／君がいれば、春の央（さなか）／行かないで、歌は沢山あり／ギターの絃も響いているし。

錦秋

もみじの美しい秋は、日本では、錦繍（きんしゅう）の秋と呼ばれますが、露西亜では、黄金の秋（ゾロターヤ・オーセニ）と称されています。もみじは、漢字では、紅葉とも黄葉とも記されるようですが、ハバーロフスクのもみじは、楡（ニレ）、楊（トーポリ）、唐松（カラマツ）、白樺（シラカバ）、榛木（ハンノキ）、水楢（ミズナラ）、谷地梻（ヤチダモ）、アムール科木（シナノキ）、白楊（ハクヨウ）とか箱柳（ハコヤナギ）とも呼ばれる山鳴らし（ヤマナラシ）といった樹種が多いせいか、専ら黄葉のほうで、この季節になると、樅（モミ）や唐檜（トウヒ）などの針葉樹を除いた樹々が濃淡さまざまな黄色に染まり、街中（まちぢゅう）が眩（まばゆ）いほどの煖色に包（つつ）まれ、舗道や甃石（しきいし）がクロム・イエローの枯れ葉の絨毯に覆われ、櫛の歯が欠けるように落葉する樹々の枝越しの空の青が日増しに深まっていくのでした。九月末か十月初めのそんな時季に、中心街と空港を結ぶバスとトロリー・バスの停留所『育苗園（ピトームニク）』から歩いて数分の市営中央墓地（カール・マルクス通り百六十八‐一番地）第一地区内の日本人墓地では、現地の日本人会による毎年恒例の慰霊と清掃と親睦を兼ねた墓参会が催されました。ちなみに、一九四五年十月に造られたというこの墓地には、村山常雄編・著『シベリア抑留死亡者名簿』（二〇一三年九月更新）に依れば、三百十一名の日本人抑留者が埋葬されています。さて、墓参会のときには、幹事らが、中央の慰霊碑に供える焼香用の線香、御墓に一輪づつ手向ける献花用の花、清掃用の軍手や熊手や竹箒、落ち葉を入れる大きなビニール袋、黙禱（もくとう）後の懇親会用の皿や洋盃（コップ）や麦酒（ビール）やジュースやお抓（つま）みなどを予め用意し、参加者は、御結びやサンドイッチなどをめいめいで持参しますが、中には、厚焼き卵や鶏の唐揚げや胡瓜の浅漬けなどを差し入れてくれる人もあり、ときには、総領事公邸料理人の方が携帯用の瓦斯焜爐（ガスこんろ）で温めたグリュー・ワインを振る舞ってくれることもありました。また、辺見じゅん著の『収容所（ラーゲリ）から来た遺書』や『ダモイ 遥かに』に在りし日のことが記されており今はこの墓地の門を入って左手奥のほうに御墓がある山本幡男氏のご遺族と親しいという方にばったりお逢いしたこともありました。ちなみに、日本へ帰国してから読んだ平田俊子さんの小説『スロープ』では、主人公と同じく隠岐出身の山本幡男氏や、同氏が開いたアムール句会や、辺見じゅんの原作に基づいた『ダモイ　収容所から来た遺書』という芝居のことが、記されていました。秋の墓参会は、夏の舟遊びや冬の忘年会と竝んで、ハバーロフスクの日本人会の三大年中行事の一つであり、普段はなかなか会う機会のない公務員や商社員や主婦や修道女や宣教師や留学生や語学講師といった在留邦人の方々が、秋の灝気に浴しつつ林間の日溜りで母語を交わし心を通わせることのできる、和やかな団居のひとときでした。

愁思

春秋に心を一つ添えると春愁、春愁と対を成す秋思に心を一つ添えると愁思。そんな言葉遊びに現を抜かしていると、トスカー（тоска）という露西亜語が泛かんできました。露和辞典には、「憂さ、憂い、愁い、哀愁、憂愁、憂悶、憂鬱、ふさぎの虫」とありますが、愁思も、譯語の一つになるような気がします。さて、落寞とした秋には、セルゲーイ・エセーニン（一八九五～一九二五）の詩による抒情的小歌曲を音楽の栞として番組で流すこともありました。日本の聴取者から紅葉の便りが届けば、『落葉した私の楓（Клён ты мой опавший）』（作曲者不詳)、一九九八年から記念されている十一月最終日曜日の母の日には、『母への手紙(Письмо матери)』(曲 ヴァシーリイ・リパートフ)、風花(かざばな)や流氷の季節が近附いてくると、露西亜マンドリンとも呼ばれる民族楽器ドームラの伴奏が似合いそうな『金色の林は話し了えた(Отговорила роща золотая)』(曲 グリゴーリイ・ポノマリョーフ)といったように。

金色の林は話し了(お)えた/白樺の愉(たの)しげな言葉で/鶴は懶(ものう)げに翔んで行き/もう誰をも愛(お)しまない//私は荒れ野に独り彳(た)ち/鶴は風に遠く運ばれる/愉しき青春に心は盈(み)たされるも/往(ゆ)きし何物も私には惜しくない//徒爾(とじ)に費えた光陰は惜しくない/胸の紫丁香(リラ)花の花は惜しくない/庭で朱い花楸(ナナカマド)の榾火(ほたび)が炎(も)えるも/それは誰を煖(あたた)めることもできぬ。

VI
異邑(いゆう)

――ビロビジャーン

ソ連が崩壊する前の一九九一年の浅春、プーシキン通りの寓居に一週間ほど泊っていってくださった宮城県在住のタカヒコヴィチことSさんと、ハバーロフスク地方の西隣りに位置する猶太(ユダヤ)自治州の州都ビロビジャーンを日帰りで訪ねました。早朝にハバーロフスクの鉄道駅から莫斯科(モスクヴァー)方面へ向かう列車に乗り、食堂車(ヴァゴーン・レストラーン)の窓(まど)から冬枯れの夷(なだ)かな丘阜(きゅうふ)を眺めながら軽い食事をし、区分客室(コムパートメント)の座席兼寝台に寝そべってお喋りや居眠りをしていると、三時間ほどでビロビジャーンへ着きましたが、駅舎の壁には意第緒語(イディッシュ)らしき駅名の表示があり、如何にも猶太人の町といった感じでした。ビロビジャーンという地名は、川を意味するビラと常設の宿営地を意味するビジェンというエヴェーンク語に由来し、どちらもアムール河左岸の支流であるビラーとビジャーンという二条(ふたすじ)の川に挟まれた土地を指しているそうですが、Sさんは、雪融け水を運んで町の中心部を転がるように流れるビラー川を目にすると、「北上川のよう」と歓聲を上げるのでした。私たちは、ごろた石を踏んで磧（かわら）を後にすると、路線バスに乗って猶太教の会堂（シナゴーグ）を訪ねましたが、空色のペンキの塗られた民家を想わせる小ぢんまりとした木造平屋のその会堂は、誰もいないらしく扉が閉まっていて入ることができませんでした。次に訪れたビロビジャーン国立教育大学（現ショーロム・アレーイヘム名称沿アムール（プリアムールスキイ）国立大学）では、日本語学科の若き教師たちに歓迎され、心和む歓談のひとときを過ごすことができました。さて、駅へ戻る一本道をとぼとぼと歩いていると、往きの列車で醱酵牛乳（ケフィール）をたっぷりと飲んだせいか、お腹の具合いが怪しくなってくるのでしたが、行けども行けども雪隠（せっちん）らしきものは見當たらず、どうなることかと想いましたが、役場の派出所のようなところで雪隠を借りることができ、なんとか事なきを得ました。今でも、ビロビジャーンと聞くと、北上川を想わせるビラー川の清冽な流れと、雪隠が見つかったときに交わした安堵の笑みが、懐かしく想い出されます。なお、往きは隧道（トンネル）で復りは鉄橋でアムール河を渡りましたが、鉄橋が爆撃を受けても輸送路が断たれないように隧道（ずいどう）が穿（うが）たれたという話しを聞いたのは、その小旅行からだいぶ経ってからのことでした。また、アムールの奇蹟とも呼ばれ、一九〇八年のパリ万博でその設計に対して金章が授与された、ハバーロフスクの鉄橋は、一九一三年から一九一六年に掛けて粗石（そせき）や花崗岩や金属や鉄筋・混凝土（コンクリート）などを用いて建造され、一九九二年に始まった改修の後には上層が道路で下層が鉄路という二層式となりましたが、道路と鉄路の併用部分の長さが二、六〇〇米（メートル）でアプローチを含めた全長が三、八九〇米半というこの橋は、東西比利亜(シベリヤ)総督ニコラーイ・ムラヴィヨーフ＝アムールスキイ伯爵の立像と共に、露西亜の最高額紙幣である五千留(ルーブリ)札に描かれています。ちなみに、ビロビジャーンは、新潟県豊栄(とよさか)市の姉妹都市でしたが、豊栄市が新潟市に編入合併されたため、ハバーロフスクと共に新潟市の姉妹都市となっています。

ナホートカ

露西亜語で「発見」や「見附け物」や「掘り出し物」を意味する、ナホートカ。一九九二年に閉鎖都市のヴラヂヴォストークが開放されて一九九三年に日本国総領事館がナホートカからヴラヂヴォストークへ移転すると同時にハバーロフスクにも開設されるまで、私は、二度、ハバーロフスクから夜行寝台列車『東方(ヴォストーク)』号に乗ってこの日本海に臨む港町を訪れたことがありました。いづれも、ホテルではなく往復の車中に泊まる二泊三日の旅程で、一度目は、自分の旅券(パースポルト)の更新のために、二度目は、妻の査証(ヴィーザ)の取得のために。夕刻にハバーロフスクを発つ列車は、一路南を目指し、私は、食堂車(ヴァゴーン・レストラーン)で食事をし、車両の連結部分で烟草(たばこ)を喫(の)むと、煖(あたた)かい四人用の区分客室(コムパートメント)の座席兼寝台に寝そべって本を読んだり列車の揺れに身を任せたりしているうちに眠りに落ちていきます。すると、いつの間にか空が白んでいて、相部屋の人たちが毛巾(タオル)と歯刷子(ブラシ)を手に車両の端の洗面所から戻ってくるのと入れ替わりに、すでに着替えをしてシーツや毛布を畳(たた)んでおいた自分も、洗顔や歯磨きを済ませます。それから、食堂車へ移り、朝靄を眺めながら珈琲を喫(の)んでいると、列車は、嘗(かつ)ては蘇城(スチャーン)と呼ばれたパルチザーンスクという町を過ぎてから終着駅であるナホートカの太平洋(チホオケアーンスカヤ)駅へ辷(すべ)り込みます。日本の友人に貰った登山用のアタック・ザックを背負い、車掌さんに別れを告げて列車を降りると、起伏のある地形と緑の木立ちのせいか、山峡(やまかい)の鄙(ひな)びた駅に降り立ったような錯覚を覚えました。総領事館を目指してナホートキンスキイ大通りを西へ向かって歩き始めると、舞鶴、小樽、敦賀の名を刻んだ「日本の姉妹都市の記念壁」が右手に見え、そのまま道なりに進むと、露西亜の船乗りによるナホートカ湾発見百周年を記念して一九五九年に設置された碇のモニュメントがやはり右手にあり、そこから、旧市街のレーニンスカヤ通りが始まっているのでした。朧げな記憶ながら、在ナホートカ日本国総領事館は、慥(たし)かその通りの一本か二本南隣りの少し高くなったルナチャールスキイ通りにあったような気がします。開館の時間とほぼ同時に総領事館の玄関を入って一つか二つ上の階の事務室を訪ねると、日本人の職員の人たちは、同胞の来訪が珍しい容子(ようす)で私を温かく迎え、四方山話しをしながらこちらの身の上を案じてくれたりするのでした。ほどなく申請の手続きが済み、午后に書類を受け取りに来るように云われると、私は、緩(ゆる)やかな坂を下(くだ)り、碇のモニュメントまで戻り、左へ折れてレーニンスカヤ通りをぶらつき始めました。莫斯科(モスクヴァー)のアルバート街に擬(なぞら)えられることもある六百米（メートル）ほどの遊歩道といった趣きのその通りには、まだ眠たげな午前の光りが溢れ、絵本から抜け出したような商店が竝び、私は、書店や外貨専門店の『白樺（ベリョースカ）』を覗いては地図や絵葉書きを眺めたりするのでした。その通りの行き留（ど）まりで折り返して碇のモニュメントまで戻ってから右へ折れると、ペリメーンナヤという西比利亜風餃子（ペリメーニ）専門の軽食堂があり、そこで昼食を摂ることにして扉を開けると、自給（セルフ・サーヴィス）式の配膳台には主として労働者風の男たちの行列（オーチェレヂ）ができており、品書き（メニュー）には肉の他（ほか）に魚の西比利亜風餃子（ペリメーニ）もあり、海辺の町という印象を覚えました。食事が済むと、ナホートキンスキイ大通りの最寄りの停留所から路線バスに乗り、南にある百貨店へレコードを漁りにいきましたが、信号が少なくてトラックが頻繁に行き交うそんな通りからは、ハバーロフスクにはない港町らしさのようなものが感じられました。この大通りを逆に北へ向かうと、高台の広場から穏やかな日本海が望め、二度目にこの町を訪れた際には、その辺りのレストランで昼食を認（したた）めたのですが、相席となった実業家風の露西亜人の紳士は、最後の一匙まで音を立てずにボールシチを口へ運び、その容子は、今も映画の一齣のように瞼裏（まなうら）に灼き附いています。スープは飲む（пить）のではなく食す（есть）ものという印象と共に。さて、午后に総領事館を再び訪ねると、三時の御茶にいただくのでしょうか、廊下のワゴンに和菓子が載っているのが目に入りましたが、それらは、因幡（いなば）の素（しろ）兎が日本海を渡ってきて置いていったようにも感じられたことでした。さて、書類を受け取って外へ出ると、すでに日が昃（かたむ）いていましたが、列車の時刻まで間があるので、私は、レーニンスカヤ通りの外れにある船員会館の扉を敲きました。折り好く開いており、照明の暗い部屋には、ビリヤード台や普段はお目に掛かれない洋酒の竝んだカウンターがあり、私は、留まり木に腰を掛けて給仕の女性と他愛ない言葉を交わしつつソ連産の三鞭酒をゆっくり一罎空けてから、暮れ泥む駅のほうへ蹌踉と歩を運んだことでした。

ヴラヂヴォストーク

ウラヂヴォストークは、何度か訪れたことがありますが、初めて訪れたのは、北海道新聞ハバーロフスク支局長のHさんに誘われてノーベル賞作家のアレクサーンドル・ソルジェニーツィンが二十年に及ぶ亡命生活を了えて米国から帰国する際の取材に同行させていただいた一九九四年五月末のことでした。老作家が帰国する前日のまだ明るい夕刻にハバーロフスク始発の夜行寝台列車『大洋』号に飛び乗り、区分客室で麦酒を飲んで食堂車で火酒を飲んでから泥のように眠り、翌朝にヴラヂヴォストーク駅に降り立ち、ピェールヴァヤ・モルスカーヤ通りの坂を徒歩で上り、丘の上の旧いホテル『ヴラヂヴォストーク』に投宿しました。簡単な朝食を済ませ、地元紙『ヴラヂヴォストーク』の編輯部や日本のテレヴィの支局を訪ねてから、車で一時間ほどのアルチョーム市の空港へ向かいましたが、そのロビーは、国内外の報道陣で溢れ、異様な熱気に包まれていました。ソルジェニーツィンが乗ったアンカレッジ発のアラスカ航空機は給油のためにマガダーンの空港へ寄り、老作家はそこの大地に接吻した、そんな情報を小耳に挟みながら、到着を待つ間に、私は、『莫斯科放送』の大先輩に當たる川越史郎さんに初めてお目に掛かり、暫く立ち話しをさせていただきました。川越さんは、清田彰さんや後に女優の岡田嘉子さんと結婚される滝口新太郎さんと同様にハバーロフスク支局から莫斯科本局へ移られた方で、そのときは、NHKの取材班の通譯をされていましたが、ご著書の『ロシア国籍日本人の記録 シベリア抑留からソ連崩壊まで』（中公新書、一九九四年）には、戦後ほどないハバーロフスクの想い出なども濃やかに綴られていました。ちなみに、ご子息のセルゲーイ・シーロヴィチ・カヴァゴエさんは、伝説のロック・グループ『タイム・マシン』の創設者の一人で、ギターやドラムスやオルガンやヴォーカルを担當されていたようです。さて、漸く飛行機が到着すると、報道陣は、タラップを降りてきた老作家を忽ち取り囲み、一斉に写真を撮ったりカメラを廻したり質問を浴びせたりするのでしたが、殺気立つその容子は、凄まじさを通り越して浅ましさすら感じられたことでした。その日の夕暮れ、老作家は、金角湾に臨む『極東のソヴェート権力を目指す戦士たちの広場』に姿を見せ、プラカードを手に生活の苦しさを愬える群衆に救世主のように迎えられました。翌日は、その広場の隣りの沿海地方行政府の庁舎で記者会見が行われましたが、会見が了わると演台の傍に置いておいた自分の録音機が消えており、私は狐に抓まれたようでした。ところで、ソ連らしさの残るホテルを希望したという老作家が宿泊したのは私たちと同じ『ヴラヂヴォストーク』で、部屋も同じ四階だったので、私は、鉄面皮にも、自主制作の朗読番組のために翻譯したこの作家の短篇小説『マトリョーナの家』の原稿を手渡すことにしました。エレヴェーター・ホールの前を通り過ぎてさらに廊下を歩いていくと、作家に同行していた若い女性が、半展き（はんびら）の扉から姿を見せ、こちらの用件を訊くと「本人に必ずお渡しします」と云ってすんなり受け取ってくれたのでした。縦が十六字で横が十八字の二百八十八字詰めで、右端に「ГЛАВНАЯ РЕДАКЦИЯ РАДИОВЕЩАНИЯ НА ЗАРУБЕЖНЫЕ СТРАНЫ（外国向けラヂオ放送編輯総局）」と印刷され、左端に「Переводчик（翻譯者）：Диктор（アナウンサー）：Выпускающий（ディレクター）：」と印刷され、シャープ・ペンシルで書いた文字を砂消し護謨（ゴム）で消した跡が毳立（けばだ）っている、ソ連製の特注の原稿用紙の束を。数日後、ハバーロフスクの音楽喜劇場で催された市民との交流会の後（あと）のサイン会で、老作家は、「貴兄の翻譯は慥かに戴きました。日本には木村という優れた翻譯家がいますね。」と笑顔で私に告げてくれましたが、西比利亜（シベリヤ）を列車で横断する長旅を扣（ひか）えたご本人にしてみれば、何処の馬の骨とも判らない青二才の日本人に押し附けられた原稿の束は、お荷物以外の何物でもなかったはずでしたが、鈍（なまくら）な私がそのことに気附いたのは、二〇〇八年の夏に作家が莫斯科で天に召された後（あと）のことでした。

ピョートル大帝湾

あれは、世紀を跨いだばかりの二〇〇一年の夏でしたか、或る日本からの訪問団の頼りない同行通訳としてハバーロフスクから夜行寝台列車『大洋』号でヴラヂヴォストークを訪れた際、金角湾から傭船で東ボスポラス海峡を渡ってピョートル大帝湾内のルースキイ島へピクニックに出掛け、炎天下でもときおり涼風の渡る草生に宴を張り、極東船舶会社(FESCO)の民族歌舞団に所属する逞しい若者たちが素潜りで幾らでも採ってきてくれる帆立ての刺し身やバター焼きに舌鼓を打ったことがありましたが、二〇〇八年の秋、やはり傭船に乗って今度はさらに遠くの島を目指しながらこの湾の汐風に吹かれる機会に恵まれました。一九三九年十二月十二日に今はサハリーン州のオジョールスキイ町と姉妹関係にある北海道の猿払村の沖合いでソ連船が座礁して七百人以上が死亡或いは行方不明となって凡そ四百人が地元の人々によって救助されたという話しは、北海道新聞のハバーロフスク支局で借りた原暉之著『インディギルカ号の悲劇』を読んでからずっと頭の隅にありましたが、二〇〇八年の初め、私は、不思議なご縁で秋田県由利本荘市の露国親善交流推進深沢委員会の方からそれとよく似たこんな話しを伺いました。一九三二年十二月一日、朔風の吹き付ける寒い朝、同市の深沢海岸に見慣れぬ黒い船が漂着し、その船には、日本海を何日（後に七十八日と判明）も漂流した四人のソ連の漁民が乗っていましたが、最年少の十六歳のニコラーイ少年は、すでに息を引き取って暗い船底に横たわっていました。地元の人たちは、誰に云われるともなく、生存者を救い出し、焚き火で煖を採らせ、食事や風呂の世話をし、少年を共同墓地に懇ろに葬り、救助された三人は、ほどなく函館から来たソ連の領事に身柄を引き取られて帰国の途に就きました。纔か数日の間に芽生えた友愛は、風化されずに後世へ承け継がれ、一九九二年、国道七号線沿いのその共同墓地の跡地に『夕日の見える日露友好公園』が整備されて『露国遭難漁民慰霊碑』が建立され、二〇〇七年の秋、粘り強い努力が実を結んでニコラーイ少年の甥のユーリイ・ガヴリリュークさんの消息が判明し、二〇〇八年の秋、ヴラヂヴォストークでユーリイさんと由利本荘市の人たちが初めて対面し、漂着から八十年に當たる二〇一二年、ユーリイさんと遭難漁民の親族捜しに尽力したパーヴェル・ザイーキンさんが家族と共に由利本荘市での慰霊祭および歓迎会に招かれました。ニコラーイ少年を追悼する『空ひとつ　海ひとつ』（詩 大友康二、曲 菅原良吉）という歌をみんなで唱っていると、私には、「一衣帯水」とか「袖振り合うも多生の縁」といった言葉が泛かび、隣り人を想い遣る心に国境はないように想われてきます。「はるかなる　はるかなる　空ひとつ　海ひとつ　さまよえる　十余日　異国に　流れ着く　船あわれ　人悲し／雄々しくも　命かけ　空ひとつ　海ひとつ　荒波と　闘いて　救いたる　深沢の　人やさし　里やさし／六十年　時去りて　空ひとつ　海ひとつ

ニコライを 追悼の 胸熱く 師走風 あたたかし」。日本海と云えば、二〇〇五年に日本の聴取者の方が手紙に添えてくれた富山国際センターの露西亜語パンフレットの表紙に印刷されていた富山県発行の『環日本海諸国図』（新称『環日本海・東アジア諸国図』、通称「逆さ地図」）を目にしたときには、快い幻暈（めまい）を覚えました。「逆さ地図」で大陸側から見る日本海は、「逆さでない地図」で日本側から見るそれとは異なり、松尾芭蕉の「荒海や佐渡によこたふ天河」という句から連想される冷たく荒れた北溟（ほくめい）といった父性的なイメージではなく、幼子（おさなご）でも游べる瀦水（ちょすい）或いは羊水といった母性的なイメージを抱かせます。それは、鎌のような吊り目の海が穂のような垂れ目の海に感じられる魔法の地図であり、花綵（かさい）列島という言葉や作家の島尾敏雄が考案したヤポネシア（Japonesia）という概念を想い起こさせてくれました。さて、そんな日本海の北西に位置する日本海最大の湾であるピョートル大帝湾は、ムーミン谷の吟遊詩人スナフキンの帽子のように日本海へ広がっており、この湾には、皇后ウジェニー諸島や露西亜五人組（モグーチャヤ・クーチカ）の作曲家ニコラーイ・リームスキイ＝コールサコフの長兄である海洋探検家ヴォーイン・リームスキイ＝コールサコフに因（ちな）んで名附けられたリームスキイ＝コールサコフ諸島といった島嶼（とうしょ）が散在していますが、ニコラーイ少年たちを乗せた漁船は、思わぬ暴風に見舞われて皇后ウジェニー諸島のレーイネケ島の母港から食糧の備えもないままに沖へ流されて幾旬日（いくじゅんじつ）も日本海を漂流することになったそうです。二〇〇八年十月四日、ヴラヂヴォストークの心臓部に當たる金角湾（ゾロトーイ・ローグ）の桟橋を解纜（かいらん）した傭船（ようせん）は、爽涼な秋の朝日を浴びて南東へ針路を取り、やがてヴラヂヴォストークから二十五粁(キロ)ほど離れたレーイネケ島の北岸の桟橋に横付けされましたが、人口が纔(わず)か二十人ほどというその島には、民家も人影も殆(ほと)んど見当たらず、ニコラーイ少年が働いていたという水産加工場も、土台しか残っていませんでした。次に向かったのは、レーイニケ島の数粁南東に位置しヴラヂヴォストークからは三十二粁ほど離れたリコールド島で、水深が浅いせいか、船は、島の手前で投錨し、一行は、小舟で上陸しましたが、帆立ての養殖場らしい岸辺には、殻附きの貝が山と積まれ、私たちは、渡されたナイフを使って剥(む)き身を幾つも頬張りました。帆立ての養殖に従事する人たちが働きに来るだけのこの島は、ピョートル大帝湾で最大の無人島であり、自然の宝庫のようでした。養殖場の裏手の坂を少し上(のぼ)ると、飯場と想われる木造の小屋があり、その脇の地面には、長い卓子(テーブル)と椅子が竝べられており、私たちは、そこで、火酒(ヴォートカ)や葡萄酒の盃を何度も乾しつつ、野趣に溢れた帆立尽くしの食事に舌鼓を打ちました。最後に供されたパエリアで満腹すると、腹熟し(はらごなし)に林間を漫(そぞ)ろ歩きましたが、パーヴェルさんが藪の中から幾つか捥(も)いできて「キシミーシ」と極東での呼び名を告げて手渡してくれた猿梨の鶸(ひわ)色の実は、齧(かじ)ると仄(ほの)かに甘く、ほどなく辿り着いた草茫々のヘリ・ポートのある丘阜(きゅうふ)の頂きから瞰(みお)ろすと、双峰駱駝(ふたこぶらくだ)のようなこの島が、ウルトラマリンの海に穿(うが)たれた地球の鍵穴のように想われてくるのでした。

マガダーン

一九九四年の孟夏(もうか)、ヴラヂヴォストークから戻って十日ほど経った頃、やはり北海道新聞のハバーロフスク支局長のHさんに誘われて、今度は、露西亜人の助手の方と三人で、米国のアンカレッジの姉妹都市（一九九一年提携）であり金色の馴鹿(トナカイ)が青い海の白い波の上の赤い空を天翔ける意匠(デザイン)の市旗と市章が美しいオホーツク海に臨む港町マガダーンを、空路で訪れました。日本聖書協会の舊新約聖書のマタイ傳の第十五章三十九節には、「イエス群衆(ぐんじゅう)をかへし、舟(ふね)に乗(の)りてマガダンの地方(ちはう)に往(ゆ)き給(たま)へり」とありますが、その地方とは無関係であり、オスロやストックホルムや聖彼得堡(サンクト・ペチェルブールグ)とほぼ同じ緯度にある、露西亜北東部のマガダーンについて、ジャック・ロッシ著『矯正労働収容所総管理局(グラーグ)（ГУЛАГ）の手引き』（莫斯科(モスクヴァー)、プロスヴェート出版所、一九九一年）には、「コルィマー地方の収容所(ラーゲリ)の囚人たちによって築かれたオホーツク海のナガーエフ湾内の港町、それらの収容所の行政中心地。一九三三年に同名の小川の河口で建設が始められた」と記されていました。ハバーロフスクを深夜の便で発ち、夏至に近い短夜(みじかよ)の三時間ほどを機内でうとうとすると、すでに夜の明けた「鷹(ソーコル)」という名のマガダーンの空港に到着しましたが、永久凍土地帯に位置しており年間平均気温が氷点を下廻るという町だけに、半月ほど前に作家のアレクサーンドル・ソルジェニーツィンが帰国の第一歩を印（しる）して足許（あしもと）の大地に接吻したというその空港の滑走路は、六月とは云え、霙（みぞれ）交じりの雪に薄（うっす）らと覆われていました。私たちの乗り込んだ古ぼけた辻自動車（タクシー）は、空港を出ると直ぐにコルィマー街道（コルィームスカヤ・トラーッサ）へ入り、樹海を縫うように南下し、一時間ほどで北東の方角から町の心臓部へ達し、マガダーンカ川を渡ってレーニン大通りから港湾通り（ポルトーヴァヤ）へ右折し、そのまま西へ進んでから緩やかな坂道を下りていくと、『大洋（オケアーン）』というホテルの前で停まりましたが、目と鼻の先には、ナガーエフ湾という海というより湖を想わせる静かな入り江が広がっているのでした。入館手続き（チェック・イン）を済ませて部屋で仮眠を取ってから、一階のレストランで昼食を摂りましたが、蟹があるというので註文すると、露西亜語で「青い蟹」と呼ばれる油蟹を丸ごと茹でたものが一人に一杯づつ運ばれてきて、三人の男は、背を屈め首を鳩（あつ）めて黙々と鱈場蟹（タラバガニ）の近縁種というその蟹を平らげていくのでした。マガダーン滞在中には、今は自然史博物館となっている露西亜科学アカデミー・極東分院・北東研究所・地質学鉱物学博物館（ポルトーヴァヤ通り十六号棟）で一九七七年に永久凍土から出土した毛象（マンモス）の子供ヂーマの全身標本のレプリカを目にしたり、象牙ならぬ毛象の牙で細工品を製造する工場で牙の欠片（かけら）を戴いたり、地元紙『マガダーンスカヤ・プラーヴダ（Магаданская правда）』の記者たちと懇談や会食をしたり、マガダーン州立郷土博物館（カール・マルクス大通り五十五号棟）でコルィマー地方の収容所を再現する展示に接したりしましたが、書店で見掛けて購入した文学藝術作品（アリマナー）

集『極北にて《ナ・セーヴェレ・ダーリニェム》（На Севере Дальнем）』（一九九一年・第一号）という地元の不定期刊行物の表紙には、巨人の顔に十字架が嵌め込まれ左の頬を伝う滂沱の泪の中に人面《じんめん》が幾つも泛《う》かんでいる『哀しみの仮面《マースカ・スコールビ》（Маска скорби）』というウラール地方のスヴェルドローフスク（現 エカテリンブールグ）の出身でスイスのチューリッヒへ亡命した後《のち》にニュー・ヨークへ移り住んだ猶太《ユダヤ》人の彫刻家エールンスト・ニェイズヴェースヌイ（一九二五〜二〇一六）が制作して一九九六年六月十二日に除幕式が行われたスターリンの弾圧の犠牲者を追悼する高さ十五米《メートル》のモニュメントの雛型が大きく掲載されており、私は、この地方に刻まれた歴史の傷痕の深さを感じたことでした。私たちが市の中心部の学校《シコーリヌイ》小路にあるその自宅を訪ねた流竄《るざん》の歌手ヴァヂーム・コージンも、まさにその犠牲者の一人なのでした。コージンには、既刊『雪とインク』の「歌聲」の項で写真を添えて触れさせていただきました。

アムール州

「私は理髪師をしていたのですが、コージンが蒸し風呂《バーニャ》へ来るときには、みんなが彼の歌を聴きに来ました。コージンは、緑色の中折れ帽を私に預け、君も来るかと誘ってくれました。『女乞食《ニーシチャヤ》』（詩ピエール＝ジャン・ド・ベランジェ、譯ドミートリイ・レーンスキイ、曲アレクサーンドル・アリャービエフ）という歌に心を打たれました」。一九九四年の孟夏にマガダーンでコージンと会ったときには、「日本人と会うのは初めてです」と本人から伺いましたが、一九九九年の春にハバーロフスクで二年振りに再会した蜂谷彌三郎さんは、私にそう語ってくれました。つまり、コージンは、私たちと会う前にも日本人と会っていたのでした。彌三郎さんは、一九一八年に滋賀県に生まれ、一九四六年に平壌でソ連軍に連行され、身に憶えのないスパイ罪で懲役十年の刑を宣告され、極東の収容所から極北のマガダーンの収容所へ送られ、服役後にクラーヴヂヤ・レオニードヴナ・ノーヴィコヴァさんと結婚し、ソ連国籍を取得して露西亜人からは「ヤーコフ・イヴァーノヴィチ」と名前と父称を連ねる敬称で呼ばれ、ハバーロフスクから西へ五百粁ほどのアムール州の町プログレースで暮らし、一九九六年に知人を通して平壌で生き別れとなった肉親と連絡が取れ、一九九七年に半世紀振りに日本へ帰国して久子夫人と再会しました。そして、日本へ永住帰国した後も、露西亜に残ったクラーヴヂヤさんとの手紙や電話による連絡が杜絶えることはありませんでした。一九九八年に露西亜当局から無実を証明する復権証明書が交附されて名誉を恢復した彌三郎さんは、翌年の春に露西亜へ一時帰国してから再び日本へ戻る際、ハバーロフスク市内のホテル『イントゥリースト』でのインタヴューを了えて空港のロビーで見送る私の手帖へ「慟哭の歌」と題する次の三首を彳ったまま一息に書き附けてくれました。

スパイ容疑罪なき証受けし今いづこに棄てむ五十年の苦汁
い泣けとも言わん如くに渡されし名誉恢復八十路の生活に
スパイ容疑証す術なき五十年に涸れし涙も今は愛し

私が初めてアムール州を訪れたのは、その三年前の一九九六年の晩夏に露西亜の彌三郎さんを日本の親族が訪ねて半世紀振りの再会を果たす容子を撮影する日本のテレヴィ局の取材班に通譯として同行したときで、その際には、ハバーロフスクの空港で三十人乗りくらいの小型機Yak（ヤーコヴレフ）-四〇へ肛門のような後部のタラップから乗り込み、西へ一時間ほどの飛行でアムール州の州都ブラゴヴェーシチェンスクの空港へ到着し、迎えに来ていた数台の自動車に分乗して一路東を目指し、ライチーヒンスクという炭砿町を抜けてプログレースという国営地区発電所（ГРЭС, Государственная районная электростанция）のある町へ移りましたが、タコメーターを頻りに呻らせて対向車の殆んどない舗装道路を直奔るワゴン車の窓からは、大豆畑でしょうか、如何にも穀倉地帯といった感じの無辺の耕地が広がり、両端とも大地に触れる水彩のような虹が懸かり、桔梗色の空に映える向日葵のクロム・イエローの油彩のような花が揺れるのを、眺めることができました。親族の方々は、彌三郎さんの自宅に寝泊まりし、私たちは、隣り町ライチーヒンスクの『希望』という名の施設に宿泊しましたが、そこは、ホテルではなくサナトリウムとのことでバーもカジノもなく、朝から栄養満点の料理が食堂(ストローヴァヤ)の卓子(テーブル)へ運ばれてくる、実に健康的な宿でした。晩になると、近くのスタヂアムの疎林から野外ディスコの音楽が聞こえ、マリン・ブルーの空から流れ星がぽろぽろと溢(こぼ)れ、アーラ・プガチョーヴァの歌う『星降る夏(ズヴョーズノエ・レータ)』（一九七八年）や『夏よ、さようなら(ダ・スヴィダーニャ・レータ)』（一九七五年）といったソ連時代の歌が想い出されるのでした。その後も、プログレースを訪れる機会が何度かありましたが、その際には、飛行機ではなく西比利亜(シベリヤ)鉄道の列車に八時間ほど揺られてアムール州南東部のブレヤーという駅まで行き、そこから自動車に半時間ほど揺られてその町を目指すのでした。真冬に訪ねたこともありましたが、彌三郎さんが「寒気の通り路」と呼んでいたその地方は、ゼーヤ川やブレヤー川が北からアムール河へ流れ込むせいか、ハバーロフスクよりも寒さが一段と酷(きび)しく感じられ、或る年の冬に西比利亜(シベリヤ)抑留に関する北海道新聞の取材に同行して訪れた州都ブラゴヴェーシチェンスクの碁盤の目のような中心街を吹き抜ける風も、鉛のように肚(はら)に響く冷たさを孕(はら)んでいるのでした。ちなみに、哈爾濱(ハルビン)方面へ鉄道が通じている黒河という中国の都市とアムール河を挟んで対(むか)い合うブラゴヴェーシチェンスクには、国境貿易の活気のようなものも感じられ、亜細亜大陸の裏門といった雰囲気が漾(ただよ)っていました。さて、彌三郎さんとクラーヴヂヤさんのことは、『クラウディアの祈り』（ポプラ社）という本でも紹介されていますが、二〇一四年九月七日、その本の著者である村尾靖子さんがその前日にクラーヴヂヤさんが九十三歳で天に召されたことを電話で知らせてくださったときには、クラーヴヂヤさんが私のことを「坊や(スィノーク)」と親しげに呼んでくださっていたことや、ハバーロフスクのメディアの取材班がクラーヴヂヤさんの許(もと)を訪ねたときには我が家の分までダーチャ(小屋附きの家庭菜園)で採れた豆類や蜂蜜や自家製火酒(サマゴーン)を託け(ことづけ)てくださったことや、二〇一一年に私が日本へ帰国してからも「地震は大丈夫ですか。働き口はありますか。報酬は麵麭(パン)(食い扶持)に足りますか。麵麭にバターは塗れますか」などと電話で身の上を案じてくださったことなどが、想い出されてくるのでした。そして、その翌年の六月十一日、私は、その前日に彌三郎さんが九十六歳で旅立たれたことを新聞で知りました。

ヤクーツク

アムール州都のブラゴヴェーシチェンスクは、西比利亜(シベリア)鉄道の支線の終点となっていて、私は、二度、そこからハバーロフスクまで夜行寝台列車に揺られたことがありますが、所要時間は、ハバーロフスクからナホートカやヴラヂヴォストークへ行くときよりも幾らか長いようでした。ブラゴヴェーシチェンスクの駅を出発した列車は、やがてベルゴールスクという駅で西比利亜鉄道の本線に乗り入れて、東に折れるとハバーロフスク方面へ向かい、西に折れると莫斯科(モスクヴァー)方面へ向かいます。莫斯科方面へ暫く進むと、スコヴォロヂノーという駅があり、ここからは、アムール・ヤクーツク鉄道幹線（AЯM）が北へ延びており、この鉄道がサハ（ヤクーチヤ）共和国の主都ヤクーツクまで延長されれば、山形県村山市の姉妹都市でもあるヤクーツクを列車で訪れることもできるわけですが、二〇〇六年の真冬に日本のテレヴィ局の取材班に通譯として同行した私がその町を目指したときには、空路を利用するしかありませんでした。その年の一月二十四日、私たちは、ヤクーチヤ航空のAn（アントーノフ）-二四型のターボプロップ機でハバーロフスクからヤクーツクへ向かいました。離陸時には零度くらいだった客室の気温もやがて十五度くらいにまで上昇し、通路を挟んで右隣りの席の露西亜人らしき男性が小罎から気前よくたっぷりと注（つ）ぎ分けてくれたコニャックを飲みながら機内食を食べているうちに、躰がぽかぽかしてきましたが、眼下に望める雪を頂いて陽の光りを浴びた峻（けわ）しい山の稜線からは、凛とした孤独のようなものがひんやりと伝わってくるのでした。四時間余り経つと、漸（ようや）くヤクーツクの夜景が見えてきましたが、飛行機は、濃い霧のために旋回を繰り返した末、トゥイマーアダという予定の空港ではなくマガーンという郊外の空港に着陸しました。私は、氷点下三十五度くらいまでの寒さならハバーロフスクでも体験したことがありましたが、タラップを降りたときの気温は氷点下四十度で、皮膚がぱりんとするような初めての感覚を味わいました。宿泊した『極　星（ポリャールナヤ・ズヴェズダー）』という市の中心部にあるホテルは、地元のダイヤモンド採掘会社『アルロサ』の発注により二〇〇四年に建てられた七階建ての現代的なホテルで、客室の鍵（キー）はカード式で、昇降機（エレヴェーター）は外殻構造（スケルトン）で、十柱戯（ボウリング）や玉突（ビリヤきも娯しめ、ビジネスやフィットネスのセンターも備え、玄関には橄欖(オリーヴ)色の制服を着た門童(ドア・ボーイ)が扣(ひか)えており、異国へ来たような感じでした。後日、或る日本人から「あそこは今の露西亜極東で最高のホテルです」と伺いましたが、露西亜のホテルから鍵番(ヂェジュールナヤ)の女性がいなくなってしまうのは、何とも淋しい気がします。一月二十五日、朝の気温は、零下四十五度。この時季の太陽は、午前十時頃に昇り午后三時頃に沈むとのこと。窓の外を見ると、朝の街は、靉靆(あいたい)としてミルクのような濃い霧に包(つつ)まれ、ホテルの前のレーニン通りでは、前照灯(ヘッド・ライト)を点した車やバスがのろのろと行き交い、通りの反対側の莫斯科(モスクヴァー)のボリショーイ劇場に似た建て物の壁からは、プーシキン名称アカデミー劇場というキリール文字(キリーリツァ)がどうにか読み取れました。自助餐(ビュッフェ)形式の朝食の前にホテルの玄関の車寄せにぽつんと彳(た)っていると、一人の若者が話し掛けてきましたが、ヤクーツク市の出身で警備の仕事をしているヂーマという二十四歳の露西亜人らしいその青年は、「二、三日前は氷点下五十四度でしたが、この冬は氷点下四十度前後の平年竝みの寒さです。日本人とは前にも言葉を交わしたことがありますが、とても気さくな人たちでした」とヤクート語ではなく露西亜語で話してくれました。午前中、市の中心部から車で二十分ほどのところにあって鼻を振り上げた毛象(マンモス)の像が正面に立つ露西亜科学アカデミー・西比利亜(シベリヤ)分院・永久凍土研究所を訪れ、午后、サハ共和国科学アカデミー・北方応用エコロジー研究所・毛象(マンモス)博物館を見学しましたが、この両施設については「博物館」の項で誌(しる)させていただきました。夕食は、開業してほどない古代の木造城塞を模した観光施設のレストランで摂りました。食前に、サハ民族の衣装を纏(まと)った族長に扮する男性が、火や縄を用いて客を迎える儀式を済ませてから馬乳酒(クムィース)を振る舞ってくれましたが、酸味のあるその白い液体は、どこかカルピスを想わせました。前菜(ザクースカ)は、馬肉を用いたものが中心で、長い卓子(テーブル)には、胃袋の料理や仔馬の生肉などが竝びましたが、仔馬の生肉は、抗癌作用を具(そな)えており、日本へ輸出されたこともあるそうです。それから、「鉋を掛ける(ストロガーチ)」という言葉からその名が附いたストロガニーナという北方の珍味をいただきました。厨房から出てきた前掛け姿の調理人が、小口鱒(レノーク)の一種で白鮭(ケター)よりも大きなネーリマという凍った魚を切り株みたいな俎(まないた)の上に逆立ちさせるように片手で支え、もう片方の手で庖丁を上から下へ辷らせては桜色の魚肉を鉋屑(かんなくず)のように叮嚀に削ぎ落としていきます。大皿に盛られたくるんと身を反らせるその肉片は、鹽(しお)と胡椒でいただくのですが、シャーベットみたいな食感と鮪(マグロ)の中瀞(ちゅうとろ)ほどの脂肪(あぶら)があり、火酒(ヴォートカ)の肴(さかな)に打って附けで、魚臭さは殆んどなく、あるとすれば、それこそ鉋屑ような仄(ほの)かな香りくらいでした。食後は、昔の民家を再現した小屋の中で、サハ民族の風習や生活などについての話を聞き、調度品や防寒具や狩猟用具などを見せてもらいました。戸外の犬小舎には、西比利亜(シベリアン)ハスキーの近縁と云われるヤクート・ライカがいましたが、近附いても吠えも唸りもしないその犬の青灰色(せいかいしょく)の氷のように澄んだ瞳からは、気品と高潔さが感じられ、躰をそっと抱いてみると、冱寒(ごかん)を物ともしない逞(たくま)しさが、靭(しな)やかな筋肉とクリームのように滑(なめ)らかで房々した体毛から伝わってくるようでした。一月二十六日、気温氷点下四十七度。午前中、『サハ・ダイヤモンド』という日系企業を訪れましたが、日本人駐在員の方から説明を受けた後(あと)に見学したダイヤモンド研磨工場では、大勢の従業員が、学校の教室くらいの作業場に整然と竝べられた旋盤式のグラインダーに向かってルーペを翳しながら金剛石(ダイヤ)に精巧なカットを施していました。ここの製品は、専ら日本向けで、原石には、質の等級があり、とくに大きなものは、名前が附けられて未加工のまま保管される、とのことでした。昼前、レーニン広場の傍(そば)の政府庁舎の会議室で、地元の政府関係者やジャーナリストを交えたアレクサーンドル・アキーモフ副大統領との懇談が行われ、今回の取材の目的、厳冬のヤクーツクの印象、二〇〇五年の愛知万博でのユカギール毛象(マンモス)の展示、自然や資源に恵まれたサハ共和国の魅力、ヤクーツクで四年に一度開催される国際的なスポーツと文化の祭典『亜細亜の子供たち』などに話が及びましたが、土耳古(トルコ)、印度、蒙古(モンゴル)、中国、南北朝鮮、日本、露西亜、旧ソ連諸国といった国の若者が夏のヤクーツクで交流するその祭典には、遠い先を瞶(みつ)めて亜細亜の平和と友好を希求するサハ共和国の人々の熱い想いが感じられ、「毛象だけがサハ共和国ではありません」というアキーモフさんの言葉には、実感が籠っていました。午后、『農民市場(クレスチヤーンスキイ・ルィーノク)』という名の青空市場を訪れました。防寒沓を履いて防寒着に身を裹(つつ)んだ売り子さんたちは、吹雪交じりの凍て附く寒さなど何処吹く風というように、人懐っこい笑顔を泛(う)かべて聲を掛けてくれます。売り台には、かちんかちんに凍った状態で、鰈(カレイ)や鰊(ニシン)や樺太鱒(ゴルブーシャ)といったハバーロフスクでもお馴染みの海の幸が積まれ、地元の河川や湖沼で獲れるネーリマやチールといった大きな魚が仏蘭西麵麭(フランスパン)か野球のバットのように林立し、丸ごと皮を剥がれた野兎が紅赤(べにあか)の肉を晒して眠るように横たわっていました。そのあと、スポーツと文化の祭典『亜細亜の子供たち』のメイン会場ともなるスタヂアム『トゥイマーアダ』の前のコムソモーリスカヤ広場へ移動して、零下四十一度の戸外で石鹸玉(シャボン)を飛ばす実験が行われましたが、藁(ストロー)の尖(さき)を離れた透明な気球は、忽ち表面が白っぽく氷(こお)り、掌に載っても破れないのでした。ワゴン車の外に半時間ほど彳(た)っていると、冬用の革の長沓(ながぐつ)を履いた足の尖(さき)が疼(うず)いてきましたが、白と茶のマーブル模様などが施されたウントィーと呼ばれる軽くて煖(あたた)かい馴鹿(トナカイ)の毛皮でできた長沓を履いている地元の人たちは、全く平気なのだそうです。ちなみに、サハ共和国の学校には、気温が何度以下になると何年生は休校といった規則があるそうで、映画館の前で擦(す)れ違った子供たちは、「今日は休校なので、氷辷り(アイス・スケート)に行くところです」と愉(たの)しげに話してくれました。一月二十七日、早朝、開局七十周年を迎えるという国営放送公社(NBC)『サハ』のテレヴィ・スタヂオを見学しました。恰度(ちょうど)『新しい一日』という番組の生放送中で、タマーラさんという女性キャスターが、初めにヤクート語で、続いて露西亜語で、ニュースや天気予報を伝えていましたが、そう云えば、ヤクーツクの街角では、露西亜語とヤクート語を半々くらいの割り合いで耳にしました。アムール河流域の先住民族の若い世代の人たちの多くは、自分の民族の言語を殆(ほと)んど知らず、専ら露西亜語を使っているようですが、ヤクーツクの若者たちは、露西亜語もヤクート語も普通に操ることができるようでした。日中、サハ共和国水文気象局・気象センターのユーリイ・ヂフチャレーンコ副所長と懇談し、日本にも影響を及ぼす東西比利亜(シベリヤ)の寒気団や各国の気象局との情報交換についての説明を受けましたが、「気象学に国境はありません」という言葉は印象に残りました。『万里の長城』という市内の中華料理店で昼食を摂った後(のち)、車で半時間ほどのところにあるハタッスィという郊外の村の民家を訪問しました。主人のドミートリイ・オフロープコフさんも家族のみなさんも半袖姿でしたが、成る程、その家へは瓦斯(ガス)がパイプで常に供給されており、室内は、台所(クーフニャ)にある瓦斯ストーヴで温められた水が家中(じゅう)に繞(めぐ)らされたパイプを循環するシステムの御蔭で汗ばむほど煖かく、調理にも専ら瓦斯が使われるとのことでした。洗濯物は、室内に干しても好さそうに想いましたが、屋外に干したほうが清爽な香りがして好いそうで、庭のロープに干されてぱりぱりになっていました。広い階段の附いた表玄関は、冬場は閉め切られて冷凍庫の役目を果たし、夏場に摘んだ苺(ベリー)や生の肉が保存されており、室内の電気冷蔵庫は、ミルクやマヨネーズといった凍らせないものを収納したり凍らせたものを解凍したりするために利用されていました。飲料水は、近くの川から切り出してきた氷を融かして調達するそうで、勝手口の檐下(のき)には、一斗罐くらいのラムネ色の直方体の氷が列を成していました。ちなみに、サハ共和国の真ん中を南から北へ流れるレーナ河の水は、流域に大きな工業施設がないためにとても綺麗なのだそうで、決して清流とは云えず遊泳が禁じられたりするアムール河の畔りに暮らしている私には、羨ましい限りでした。夕食の卓子（テーブル）には、ストロガニーナ、魚卵（イクラー）と米を詰めた鮒（フナ）の姿焼き、茹でた馬肉、仔馬の凍らせた肉、仔馬のレヴァーの串焼き、馬の乳と血のソーセージ、新鮮で濃厚な自家製の醗酵クリーム（スメターナ）、露西亜料理としてお馴染みのオリヴィエ・サラダやピロシキーやレピョーシカなど、心尽くしの大牢（たいろう）が竝びました。氷点下七十度ほどの世界最低気温を過去に記録しているオイミャコーンとヴェルホヤーンスクという北半球の寒極があるサハ共和国ですが、「どんなに気候が厳しくとも、ここを離れる心算（つもり）はありません」との主人の言葉からは、揺るぎない郷土愛が感じられました。五日間の滞在中、氷点下四十五度前後のヤクーツクの冬の街は、ゴーゴリの短篇小説『外套（シニェーリ）』を想い出させる幻想的な雰囲気とミルクのような濃い霧に包（つつ）まれていて、ハバーロフスクへ戻ってから旅の余韻に涵（ひた）っていると、『ヤクーツク』と題するこんな他愛ない詩が日本語と露西亜語で泛（う）かんでくるのでした。

　熱をうばう氷点下四十度の寒さも／温かな人の心をうばうことはできなかった／鉄をくだく氷点下五十度の冷たさも／和やかな人の心をくだくことはできなかった／／かたくななものはこわれても／やわらかなものはこわれない／街をつつむミルクのような濃い霧のように／雪どけのレーナ河のものいわぬ水のように

哈爾濱（ハルビン）

昔の話しですが、旧国鉄の新宿駅の少し北には、線路を潜（くぐ）って東西を行き来できる角筈（つのはず）ガードという細い通路があって、東から西へ抜けて地上へ出ると直ぐ右手に黒眼鏡（サン・グラス）と愛玩動物（ペット）の店が竝んでおり、そのまま北へ向かって線路沿いの緩（ゆる）い坂を下っていくと、新宿大ガードの辺りまで焼き鳥屋や一盃飲み屋が檐（のき）を列ねているのですが、その「しょんべん横丁」へは向かわずに南へすなわち駅のほうへ踵（きびす）を転じて少し坂を上がると、「七福小路」という侘しげで人戀しそうな路地がありました。線路を背にして数軒の飲み屋が竝ぶその路地には、『猫（コーシカ）』という留（と）まり木だけのバーがあり、ときどき、友人と或いは独りでふらりと寄ったものでしたが、そこは、多弁で色黒で丸顔でずんぐりした高加索（コーカサス）系と想われる女将さんと寡黙で色白で細面ですらりとした露西亜系と想われるお手伝いさんという好対照を成す二人の女性が切り盛りしているようでした。或る晩、私の目の前にいた後者の女性にカウンター越しに出身地を訊ねると、彼女は、鶴のような喉から露西亜語のX（ハー）を絞り出すように「カルビーン」と応え、私は、ややあってそれが「哈爾濱（ハルビン）」のことだと判り、この人は亡命した白系露西亜人かも知れないと想うのでした。いつも脊筋をぴんと伸ばして殆（ほと）んど無言で火酒（ヴォートカ）を注（つ）いだり酒盃を拭いたりするその引っ詰め髪の女性には、どこか哀しみと愁いが寓り、淡々と棒を振るソ連の名指揮者エヴゲーニイ・ムラヴィーンスキイを彷彿させるところもありました。さて、哈爾濱のことは、その女性の佇まいやその十数年後に東京の友人がハバーロフスクへ来たときに著者本人から託かってきたといって渡してくれた山川三太著『「白鳥の湖」伝説――小牧正英とバレエの時代』という本を通して想い描くばかりでしたが、西比利亜鉄道や東清鉄道が造られてほぼ一世紀となる二〇〇一年の夏から秋に掛けての八日間、私は、「東清鉄道（КВЖД）の建設活動とハルビンにおける都市空間の形成・変容プロセスに関する研究（一八九八～二〇〇〇年）」という日中露三国共同研究の現地調査の一行の頼りない通訳として、ハバーロフスク工科大学（現 太平洋国立大学）のニコラーイ・クラーギン教授や早稲田大学の佐藤洋一先生および学生さんたちと共に、その昔、伊藤博文が朝鮮の抗日独立主義者の安重根に暗殺され、「日本のシンドラー」こと杉原千畝が露西亜語を学び、革命と内戦の嵐に翻弄された露西亜人移民の「ノアの方舟」となり、露西亜正教会やアール・ヌーヴォー様式の露西亜建築が旺んに造られ、バス歌手のフョードル・シャリャーピンがパリで客死する二年前に逗留し、作家の二葉亭四迷や俳人の尾崎放哉も足跡を残している、その「東方の小巴里」を訪れる機会に恵まれました。私たちは、ハバーロフスクを飛行機で発って一時間半ほどで哈爾濱の太平国際空港に到着すると、リムジン・バスで市の中心部へ移動して哈爾濱工業大学の第六公寓（寄宿舎）に投宿し、翌日からは、連日、朝の六時頃に品数が豊富で医食同源の国にいることを感じさせる学生食堂で喫飯を済ませて坊間へ繰り出し、日没まで写真を撮りながら保存建築物を一つ一つ見て歩くのでした。黒龍江（アムール河）右岸支流の松花江（スーンガリ河）の畔りにあるこの大都市の中心部は、まさに肩摩轂撃といった趣きで、熱気と諠譟と生活臭に溢れ、赤い的士が金魚のように群れ、中国語を全く解しない私は、水中にいて口が開けないような息苦しい擬かしさを感じるのでしたが、林立するビルの谿間からぬうっと姿を見せるソフィーヤ大聖堂に駭いたり、負ぶわれた赤子の尻が覗いている排便用の孔の附いた嬰児服に感心したり、シャリャーピンが二階の角部屋に泊まったホテル『モデールン』といった古い建て物の残る中央大街（旧キターイスカヤ通り）を漫ろ歩いたり、枝垂れ柳が美しい松花江の畔りのスターリン公園から嘗ては露西亜人の保養地になっていたという対岸の太陽島を索道の彼方に眺めたりしているうちに、少しづつこの町への親しみが湧いてくるのでした。食べ物や飲み物は、哈爾濱名物の水餃子を始めとする種々の中華料理にしても、一九〇〇年に露西亜人が建てた工場で醸造されているという翠色の大罎に入った哈爾濱麦酒にしても、とても安くて美味しいのでしたが、露西亜産の火酒は、輸入物のせいか、白酒と呼ばれる地元の蒸留酒に比べて、桁違いに高いようでした。『侵華日軍第七三一部隊遺址』を訪ねた日の夕食後、クラーギン教授が、同行のみんなを寄宿舎の自室へ招いて持参の火酒を振る舞ってくれました。その小さな部屋へ入ると、卓子代わりの椅子の上に空っぽのフィルムの容器が人数分並んでいて、みんな、大笑い。成る程、その筒形の器は、四十粍ほどの容量があり、火酒をぽんと喉へ抛り込むにはちょうど好い「ぐい飲み」なのでした。クラーギン教授は、物静かな含羞み屋の学究といった感じでしたが、闘球ボール形の西瓜を愛用のジャック・ナイフで手迅く切り分けたり次のような一口噺しを然り気なく披露したりするその姿には、茶目っ気たっぷりな「露西亜男臭さ」が滲み出ていました。首筋の汗を手巾で拭いながらこの旧満洲の晩夏の街を竝んで歩いているときに教授がぽつんと呟いた「跟が町を知っている」という一言は、今も私の耳底を逍っています。

竿を陸へ向けて何が釣れるの／一盃奢るなら教えてやるよ／ぐびっ／釣れたのはこれで
三人目。

尼港

二〇〇五年の晩秋、哈爾濱を省都とする黒龍江省の南に隣接する吉林省の石油化学工場で爆発による火災が発生し、ベンゼン化合物に汚染された水が松花江（スーンガリ河）から黒龍江（アムール河）へ流入しましたが、その際、アムール河を主な取水源とするハバーロフスクでは、商店の飲料水が忽ち品切れとなり、地元の麦酒工場が麦酒の生産を減らしてペット・

ボトル入りの飲料水をフル稼働で生産し、衢では、「水の用意した？」が挨拶代わりとなりました。我が家では、いざとなれば雪を齧って渇きを癒やせるなどと話しつつも、万一の際には融かして使えるように、水道水で盈たしたポリエチレン製のレジ袋を馬穴に入れて露台で自然に凍らせてから袋ごと取り出すという筆法で造った氷塊を一つまた一つと蓄えていったものでしたが、非日常的なそんな作業を黙々と続けていると、自分が譯の分からないオブジェかインスタレーションを制作するしがない前衛藝術家に想われて、なんだか可笑しくなるのでした。ちなみに、そんな當地の容子を気に懸けてくださった日本の或る聴取者の電子メイルに依れば、松花江の満洲語である松阿里烏喇は、「天の河」を意味するそうで、私は、その電子メイルを紹介した『ジベリヤ銀河ステーション』という番組の名前との符合に驚いたことでした。その昔、山靼地方と呼ばれていたアムール河下流域と樺太や北海道の間では山靼船と呼ばれる平底舟で絹や毛皮の交易が行われ、山靼交易と呼ばれるその交易では中国から日本へ蝦夷錦と呼ばれる美しい着物なども運ばれ、樺太が島であることを確認した間宮林蔵も山靼船を用いて探検を行ったそうですが、その年の出来事は、そんな国境を踰えた交流を担う河川も、一度人災が起これば忽ち毒の河と化し、流域の住民とりわけナーナイ人やウーリチ人やニーヴフ人といった魚を糧とする先住少数民族の生存を脅かすものになる、ということを更めて思い知らせるものでした。そして、暫く時が経ち、アムール河下流域の町ボゴローツコエに住むウーリチ人の伝統工藝作家ニコラーイ・ヂャヴゴーダ（Николай

Дявгода）さんから河の水はだんだん綺麗になっていると聞いたときには、河の自浄作用というものを感じたことでした。さて、その汚染水騒ぎの一年ほど前の二〇〇四年十一月中旬、『グレート・ジャーニー』という日本のテレヴィのドキュメンタリー番組の流氷取材班に通譯として同行し、日本では西比利亜（シベリヤ）出兵中に起きた尼港（にこう）事件で知られる韃靼（タタールスキイ・プロリーフ）（間宮）海峡に臨むアムール河口附近の町ニコラーエフスク・ナ・アムーレを初めて訪れました。ハバーロフスクからハバーロフスク・エアラインズの小型機に乗ってアムール河流域の樹海や湿原を瞰（みお）ろしたりうとうとしたりしていると一時間半ほどでその町に到着し、中心部の勝利の広場に面した『北（セーヴェル）』（シビールスカヤ通り十七号棟）というホテルに投宿しました。滞在中には、現地の案内役の方が館長を務めるニコラーエフスク・ナ・アムーレ市立郷土博物館（ゴーゴリ通り二十七a（アー）号棟）を見学したり、Mi（ミーリ）‐八型直昇機（ヘリコプター）を借り切ってアムール潟（リマーン）へ蛞蝓（なめくじ）のように匍い伸びるプローンゲ岬（ムィース・プローンゲ）の辺りで大理石（マーブル）模様を描く流氷の群れを高度三百米（メートル）ほどの上空から撮影したり、双翼型ホヴァークラフトを借り切ってアムール河口附近の水や氷の上を滑走したりしましたが、空では、尾白鷲（オジロワシ）が独り悠然と羽を搏（う）ち、沖では、ベルーハ（белуха）すなわち白海豚（シロイルカ）らしきものが見え隠れしていました。氷に穴を穿（うが）って釣り絲を垂れる人の姿もあちらこちらに見られましたが、この辺りでは干して麦酒の肴にするコーリュシカすなわち胡瓜魚（キュウリウオ）がよく釣れるとのことでした。ニコラーエフスク・ナ・アムーレは、アムール河の北岸に碁盤の目のように佇んでいるところがなんとなくブラゴヴェーシチェンスクを想わせましたが、そう云えば、私がハバーロフスクで暮らし始めたソ連時代の末頃には、十九世紀の露西亜の探検家の名を冠する『プルジェヴァーリスキイ』号という客船でハバーロフスクを発って上流のブラゴヴェーシチェンスクを訪ねてから下流のニコラーエフスク・ナ・アムーレを訪ねてハバーロフスクへ戻ってくるという地元の観光局が催行する十四日間のアムール河遊覧ツアーなどもありました。

ウーリチ人の邑（むら）

私がソ連へ移り住んだ一九八九年にソ連閣僚会議附属の測地・地図作成総管理局によって発行されたアムール河の船旅のパンフレットには、ハバーロフスクからニコラーエフスク・ナ・アムーレまでのアムール河の地図が描かれ、十の寄港地、すなわち、ハバーロフスク、トローイツコエ、アムールスク、コムソモーリスク・ナ・アムーレ、ツィムメルマーノフカ、ソフィーイスク、マリイーンスコエ、ボゴローツコエ、スサーニノ、ニコラーエフスク・ナ・アムーレを紹介する文章が添えられていましたが、私は、二〇〇二年七月末に共同通信の取材班の通訳としてハバーロフスクとニコラーエフスク・ナ・アムーレを往復運航する水中翼船（メチェオール）でハバーロフスク地方ウーリチ地区を訪ねました。露西亜語の「メチェオール」には、

「流星」という意味があるので、この言葉を耳にしたりこの船を目にしたりするたびに、幼少の頃に心を躍らせたテレヴィのアニメーション番組『スーパージェッター』で主人公が愛用する『流星号』が想い出されましたが、水中翼船の流線形の船首は、まさにそのタイム・マシンを彷彿させるものでした。銀河ならぬアムール河の「流星号」は、早朝、ハバーロフスクの河の駅（レチノーイ・ヴォグザール）から北を指して出航し、途中、六つの河の駅で停船し、十三時間ほど掛かってウーリチ地区の行政中心地ボゴローツコエに到着し、さらに、河口の方面へと去っていきましたが、當時、この船は、冬の結氷期を除いて、ハバーロフスク午前六時発（ニコラーエフスク・ナ・アムーレ午后十時二十分着）の下りとニコラーエフスク・ナ・アムーレ午前四時半発（ハバーロフスク午后十時二十分着）の上りが毎日一本づつ運行されており、運賃は、起点から終点までの片道が千四百五十八留（ルーブリ）（約六千円）、時速は、五十〜六十粁（キロ）でした。座席数は二百ほどで、客室は三つの部分に分かれており、船首の部分は、小田急電鉄のロマンスカーのように正面が硝子張りで見晴らしが好く、船尾の部分と違って原動機（エンジン）の音も静かで、真ん中の部分は、ビュッフェを兼ねた売店があるせいか少し賑やかで、売店では、珈琲、紅茶、清涼飲料、菓子や抓（つま）み、ブテルブロード（オープン・サンドイッチ）、どちらもカップに湯を注（そそ）ぐだけで食べられるマッシュ・ポテトや麺が売られていました。燻製の骨附きの鶏の腿肉は、ハムのような感じで半立（リットル）入りの国産の罎麦酒（びんビール）によく合いましたが、麦酒は、生温いこともあるので予めよく冷やしておいてもらいました。売店の脇の短い階段を上（のぼ）ると、真ん中と船尾の部分を結ぶ喫烟所(クリールカ)を兼ねたデッキがあり、そこでは、露西亜で売るための服や沓(くつ)を中国から仕入れてきた「担ぎ屋(チェルノーク)」の女性や、日本のやくざと知り合いで「何か困ったことがあったら」と内務省特殊部隊(スペツナズ)の名刺を私に差し出す日本贔屓の偉丈夫(いじょうふ)や、北欧から来た旅人のカップルなどが、紫烟を燻(くゆ)らせて言葉を交わしたり景色を眺めたりしているのでした。座席は坐り心地がなかなか好く、客室は採光が好いせいかとても明るく、私は、アイ・マスクを忘れてきたこともあり、リック・サックから岩波文庫の中村白葉譯のトルストイ民話集『イワンのばか』を取り出して読んだりしていました。日の暮れる頃に到着したボゴローツコエ村の河の駅には、地元のウーリチ人の伝統工藝作家ニコラーイ・ギャヴゴーダさんが迎えにきてくれていて、私たちは、彼に案内されて『旅籠屋(ザイェーズヂャヤ)』という村で唯一の宿泊施設に投宿し、図らずも厚生労働省の遺骨収拾団の一行と同宿になりました。翌日は、車で一時間ほどのところにあるブラーヴァ（Булава）というウーリチ人の村を訪問しましたが、マリイーンスカヤというアムール河の分水流の畔りにあるこの村には、民族の総人口が纔(わず)か三千二百人（一九八九年の国勢調査）というウーリチ人のうちの約八百五十人が暮らしており、牛歩のようにゆったりとした時間が流れていました。主な生業は漁撈や狩猟や伝統工藝とのことで、私たちは、船外機附きの端艇(ボート)に分乗して昔ながらの漁の容子を見せてもらいました。等間隔に浮子(うき)の附いた幅四～五米(メートル)で長さ七十～八十米の目の麤(あら)い網を河に渡すように仕掛けて暫くすると、浮子があちらこちらで沈み始めてそこに魚が掛かったことが判り、十五分ほどの間（あいだ）に見事な白鮭（ケター）が何尾も捕れるのでした。道端では、夏というのに毛絲の帽子を冠（かぶ）って膝上まである長沓（ながぐつ）を履いて尻が隠れるほどの丈の防寒着を羽織った男性の漁師が、日本のポリプロピレン製の紐で網を編んでおり、原っぱでは、夏休みらしい子供たちが、地面と垂直に立てられた支柱を中心に十字に組まれた棒が地面と水平に廻る回転羽根（プロペラ）のような遊具で戯れており、民族資料館の脇の草生（くさふ）には、保存展示用と想われる高床式の木造の納屋（アムバール）が立（た）っていました。地元の人たちが、取材班のために民族衣装を纏（まと）ってその前に鳩（あつ）まってくれましたが、それらの衣装は、牡丹（ぼたん）や躑躅（つつじ）や珊瑚（さんご）や常磐（ときわ）といった色が配（あしら）われており、記者が少女にプレゼントしたサクマ式ドロップスの罐（カン）の色とどこか畳（かさ）なって見えるのでした。その後（あと）、伝統工藝作家イヴァーン・ロスグブー（Иван Росугбу）さんの自宅を訪ねましたが、村でよく目にする蒸し風呂（バーニャ）のことを訊ねたときに返ってきた「蒸し風呂はどの家にもあります。懶（なま）け者の家でなければ」との言葉が印象に残りました。慥（たし）かに、ボゴローツコエのヂャヴゴーダさんの家の庭にも造ったばかりで木の香りがぷんぷんする蒸し風呂があり、ハバーロフスクへ戻る前の日の夕食をご馳走になる前に入れてもらいましたが、なんでも、木造の母屋も自分で建てたとのことで、その逞（たくま）しさに舌を巻きました。そう云えば、ブラーヴァ村へ向かう車が手配できる間（あいだ）に見学したボゴローツコエの郷土博物館には、住居、納屋、扁舟（へんしゅう）、魚を干す台、熊祀り用の仔飼いの熊の小屋、鹿の脛（カームス）（はぎ）の皮を裏面に貼ったスキーなどの模型で往時の暮らし振りを紹介するジオラマがありましたが、どうやら、この地方では、自分の物は自分で作るという伝統が今も生き続けているようでした。さて、ブラーヴァからボゴローツコエへ戻る途中、運転手さんが、アムール河右岸の夏鮭漁のための野営に車を乗り付けてくれましたが、なんでも、迥か(はる)上流のヴォズネセーンスコエ村から来たというその六人の季節労働者は、すでに二週間も大きな天幕(テント)で寝起きしながら終日(ひねもす)白鮭(ケター)を獲っており、日本製の中古の大型冷凍車を荷で盈(み)たすまでもう一週間ほど頑張り、九月中旬からは地元で秋鮭漁に従事するとのことでした。ちなみに、トラック一台分の魚の値段は七万留(ルーブリ)（當時、三十万円弱）で、その四分の一は雇い主に渡り、残りの四分の三を作業班のみんなで分けるのだそうです。この班の賄(まかな)い役は、「肝っ玉おっ母」という言葉がよく似合うナターリヤさんという六十歳のナーナイ人の女性でしたが、彼女は、嘗(かつ)て教員を務めた年金生活者で、「私は旅が好きで、ソ連時代は高加索(カフカース)辺りへも行きましたが、今はそれも儘なりません」などとぽつりぽつりと話しながら、珍客のためにシャラバーン（Шарабан）と呼ばれる温薫用の金属製の函で鮒(フナ)を焼いてくれます。そのうちに、一仕事了(お)えた男たちもパラソルの蔭の木製の円卓へ鳩(あつ)まってきて、火酒(ヴォートカ)を喇叭(らっぱ)飲みする猛者(もさ)もいる豪快な酒盛りが白昼堂々始まるのでした。暫くして一服しようと席を外すと、ヴィークトルさんという四十歳くらいの無精髭を生やした漁師が、「いつもはフィルター附きだけど、きつい仕事のときはこれなのさ」と云って『白海バルト海運河(ベロモルカナール)』という銘柄のパピローサ（長い空洞の吸い口の附いた紙巻き烟草）の箱をこちらへ差し出し、私のフィルター附きの烟草と取り替えっこするのでした。そして、木の枝に吊るしてあるラヂオからソ連時代の子供向けの人気映画『エレクトローニクの冒険（Приключения Электроника）』の挿入歌『翼のある鞦韆（ぶらんこ）（Крылатые качели）』が流れてくると、それに合わせて「前には、空だけ、風だけ、喜びだけ。（トーリカ・ニェーボトーリカ・ヴェーチェルトーリカラードスチフペレヂー）（Только небо, только ветер, только радость впереди.）」と触りの部分を放吟する彼の聲が空へ溶けていき、私には、両手の指を鰓（えら）に引っ掛けて一度に十尾の白鮭（ケター）をひょいと持ち上げてしまうこの陽気で醇朴（じゅんぼく）な力持ちが、心優しい「イヴァーンの馬鹿」に想われてくるのでした。

ナーナイ人の邑（むら）

西のほうから流れてくるアムール河は、ハバーロフスクの目交い（まなかい）で北東へ向きを変えますが、そこより下流の町や村を訪ねるには、水路ばかりでなく右岸沿いの陸路を利用することもできます。一九九四年の夏、北海道新聞ハバーロフスク支局長のHさんにハバーロフスクから車で二時間ほどのエラーブガという村の近くの森へ茸狩り（きのこがり）に連れて行ってもらいましたが、茹（う）だるような暑さと執拗（しつこ）い蚊や蚋（ぶゆ）に耐え兼ねて馬穴（バケツ）を空にしたまま早々に森を脱け出して車へ引き返したことでした。なお、その森へ行く途中、北朝鮮の金正日総書記の出生地との説もあるヴャーツコエという村を訪ねましたが、そこは、古い木造の家がぽつんぽつんと立つアムール河畔の極く普通の寂びれた漁村という印象でした。ヴァーツコエのやや上流にはシカチー・アリャーン（Сикачи-Алян）というナーナイ人の村がありますが、そこには古代の岩絵（ペトログリーフ）があり、それを見るために足を延ばす行人（こうじん）や学究も少なくありません。今から四〜五千年前の新石器時代のものと云われるその岩絵には色彩は施されておらず、大小さまざまな岩石の表面には馬や鷺や箆鹿（ヘラジカ）や毛象（マンモス）や扁舟（へんしゅう）や人面（じんめん）や呪術師（シャマーン）などが彫り刻まれるように描かれています。考古学者アナトーリイ・ヂェレヴャーンコ著『三つの太陽の国で』（ハバーロフスク図書出版所、一九七〇年）では、こんなナーナイ人の伝説が紹介されていました。「この世が創られるとき、シャンヴァイとシャンコアとシャンカという三人の人間と三羽の水に潜（もぐ）る白鳥がいました。或るとき、人間たちは、大地を造るための石と砂を採ってくるように三羽の白鳥を川底へ遣りました。白鳥たちが七日潜っていた水から出ると、大地には絨毯のように花が咲き、アムール河には魚が泳いでいました。三人は、カドという男とジュルチャという女とマミルヂという乙女を造り、アムール河の流域には、民が殖（ふ）え溢れていきました。カドは、空には三つも太陽があって暮らすには暑過ぎるので二つを撃ち落としたいと云い、日の出るほうへ向かい、穴を掘って身を伏せて、日が昇るや、一つ目の太陽を撃ち落とし、二つ目の太陽を撃ち損じ、三つ目の太陽を撃ち落とし、太陽は真ん中の一つだけが残りました。水は沸き立って山となり、山は沸き立って川となり、マミルヂは石が冷えて硬くならぬうちに鳥や獣を描きました」。また、詩人で画家で陶藝家のイリーナ・オールキナさんは、ハバーロフスク市内の工房（アトリエ）でこう語ってくれました。「岩絵の線は、幅が人差し指くらいで、深さが爪の長さの半分くらい。その乙女は、粘土か牛乳豆腐（トヴォローグ／トヴォーログ）みたいになった石に指で絵を描いたのではないかしら、道具は使わずに」。その後、私も、何度かそこを訪れる機会に恵まれました。その岩絵は、聚落（しゅうらく）から少し上流のアムール河の岸辺にあって、水嵩が増すときには没することもありましたが、或る年の春には、岸沿いの木立ちを縫って岩を伝いながらそこへ至り、或る年の夏には、船外機附きの端艇（ボート）を藉（か）りてそこへ至りました。二〇〇八年の夏には、北海道立近代美術館のAさんと少し下流のトローイツコエ村の郷土博物館やナイヒーン村の児童創作学校（旧 藝術学校）を訪ねた帰りにシカチー・アリャーン村で車を降りて徒歩で岩絵を目指したものの、夏草の簇（むら）がる小径もやがて尽きてしまったので、そろそろ引き返そうと思っていると、ナーナイ人の漁夫らしい男が独りで櫂を操る一艘の手漕ぎの扁舟（へんしゅう）が、葦の茂る小さな入り江に何処（どこ）からともなく現れて、『雨月物語』の風情を漾（ただよ）わせながら私たちを岩絵のある岸辺まで漕（はこ）んでくれたことでした。さて、二〇一〇年の早春には、北海道教育大学で教鞭をとる彫刻家のSさんとナーナイ地区を訪れました。泊まった宿は、旅行社を通じて予約をしておいたナイヒーン村の賄（まかな）い附きの木造平屋の民宿で、寝起きした部屋は、長沓（ながぐつ）を脱いだり外套を掛けたりする玄関の小部屋に設（しつら）えられた煖爐（ペーチカ）の真裏に當たる壁際と窓際（まどぎわ）に一台づつベッドがあり、その二台のベッドの枕頭（ちんとう）の間（あいだ）に笠（シェード）附き洋灯（ラムプ）の置かれた側卓（サイド・テーブル）があり、側卓のある壁とは反対側の壁の際に姿見があるだけの、鄙（ひな）びたホテルのツイン・ルームといった趣きのとても落ち着いた部屋でした。歯を磨いたり髭を剃ったり顔を洗ったりするのは、ゆったりとした台所兼食事室の端にある白い琺瑯引きの洗面台で、台所兼食事室の調理台のある壁とは反対側の壁にくっ附けて置かれた矩形の食卓には、本職は医師という小柄で扣え目な感じのナーナイ人の女将が作ってくれるボールシチや露西亜風クレープや粥に似たナーナイ料理が、珈琲や紅茶と共に竝びました。母屋は、玄関も寝室も居間も台所兼食事室もよく片附いていましたが、庭の端にある物置き小屋ふうの後架も、洵に清潔であり、赤鹿の肝臓を生で食べたせいか腹がごろごろして半夜に目が覚めたときにも、豆電灯を手に庭の踏み均された雪の細道を辿って憂いなく上厠することができました。それまで、日本の著名な作家や通譯の方のエッセイや紀行文で、露西亜の後架の筆舌に尽くし難い情景に触れたことがありましたが、その民宿に寝泊まりしてみると、それはあくまでも公設の雪隠についてのものであり、私設の雪隠は日本と同じように浄らかなのではないか、と感じられてくるのでした。ナーナイ地区の行政中心地であるトローイツコエ村では、猟人の家庭に生まれ育って自らも狩猟に従事した経験があるというナーナイ人の詩人で露西亜連邦作家同盟の成員であるコンスタンチーン・ベリドィー（Константин Бельды）さんを集合住宅の自宅に訪ねましたが、それは、先住民が愛しんできた山川草木が心ない移住民によって害われてきたことに対する深い慨きが、台所の小卓に身を乗り出すように坐った老詩人の朴訥とした語りや愁わしげな眼差しから、溜め息のように溢れてくるひとときでした。トローイツコエ村より少し上流のナイヒーン村では、昔ながらの冬の漁撈の容子を見せてもらいました。民宿で朝食を済ませると、女将が持たせてくれた露西亜風パン・ケーキ(オラーヂャ)をリュック・サックに詰め、迎えに来てくれた車に乗り、村内のスノー・モービルの持ち主の家へ向かいました。結氷したアムール河の対岸の漁師小屋を目指すスノー・モービルは、空色と赤色の二台のおんぼろのソ連製の『雪嵐(ブラーン)』で、夫々(それぞれ)の後ろに連結された小舟のような鉄の橇へ荷が積み込まれると、愈々(いよいよ)出発です。ところが、頰の紅い少年の漁師が、私たちの乗った赤い『雪嵐』の運転台の何処かへ機械油の沁み込んだ紐を独楽(こま)の紐のように巻き付けてから思い切り手前に引いて原動機(エンジン)を掛けようとしても、接触が不良なせいか、原動機は、ぶるるるるという音を尻窄(すぼ)みに立てるばかりで一向に掛かりません。同じ動作が何十遍も繰り返されるうちに、原動機が掛かるまで掛け続けるという少年の一念が乗り移ったかのように、赤い『雪嵐』は、武者震いのように身を震わせると、漸(よう)く重い腰を上げ、零下二十五度のアムール河の氷原を疾走し始めたのでした。『雪嵐』に曳(ひ)かれた橇には、辷(すべ)り板が附いているだけで座席も撥條(スプリング)もなく、荷物の透き間に身を横たえた私は、白い雪と青い氷に覆われたアムール河の分水流の岸沿いに続く低い柳(タリニーク)の黒い枝や青磁色の空を眼路(めぢ)の端に引っ掛けながらプロレスの鉄人ルー・テーズが編み出した必殺技の岩石落(バック・ドロップ)としを続けざまに浴びているような具合いでしたが、やがて、先行の空色の『雪嵐』が「えんこ」してくれた御蔭で後続の赤い『雪嵐』も停まり、その小休止の間(あいだ)に、Sさんが日本から持参したウヰスキーの『竹鶴』をみんなで廻し飲んだり烟草を喫んだりして漸く一息吐くことができました。幸い、日のあるうちに漁師小屋へ到達することができましたが、その半地下の土小屋は、雪にすっぽり包まれており、烟突がなければ、それが小屋だとは判らないでしょう。入り口は、背丈ほどの雪の壁に両側を挟まれた細い通路の突き當たりにあり、扉を開けると、丸太組みの山小屋風の部屋があり、右手の土間には、薪の山とストーヴがあり、左手は、扉から真っ直ぐ奥へ続く壁になっており、その壁際の土間には、細長い卓子が壁にぴったりと押し附けられるようにして置かれ、卓上には、麵麭やナイフや琺瑯引きのコップが転がり、壁の棚には、砂糖や食鹽や醤油などの器が竝んでいました。細長い卓子や薪ストーヴが置かれたL字形の土間を除いた部分は、六畳ほどの小上がりのようになっており、男たちは、そこで雑魚寝をして一日の疲れを癒やすのでしたが、一晩中薪ストーヴが焚かれる土小屋の中は、煖かいというよりも熱帯のように暑く、私は、両脇で眠っている人を起さないようにそっと寝袋から身を抜いて一つ一つ衣を脱ぎ、仄暗い「小上がり」の縁に腰掛けて冷めた紅茶で喉を潤したり烟草を喫んだりしてから、また海豹の群れにも似た男たちの間へ身を辷り込ませるのでした。冬の漁は、土小屋から何十分も歩いて辿り着いた氷上で行われていましたが、それは、厚さ一米ほどの氷に数米置きに孔を穿ち、針を運んで布に絲を通すようにして幅が数十糎の漁網を数十米の長さ一杯に氷の下に渡し、一両日そのままにしてから引き揚げて網に掛かった魚を捕る、というものでした。網を渡すための孔を氷に穿つときには、チェーン・ソーでできるだけ深く切り込みを入れてから、長く重い鉄の棒で氷を只管(ひたすら)に突き捲(まく)り、天滓(てんかす)を掬(すく)う網杓子(あみじゃくし)のお化けのような攩(サチョーク)（たも）網や匙(さじ)の部分が四角いスコップ(ロパータ)を用いて氷の欠片(かけら)を掻き出していくのですが、普段は箸と盃の上げ下げくらいしかしない私は、その棒で十回ほど氷を突いただけで息が上がり音を上げてしまい、こんな孔を幾つも穿つと想うだけで気が遠くなり、「生業(なりわい)」という言葉をふと想い泛(う)かべたことでした。そうやって氷面下に渡した網の端には、長さが何十米もある紐が結わい附けられており、一番手前の穴から引き揚げられて魚がみんな取り外された網は、一番遠い穴の上に尻尾のように匍い出ている紐を巻き戻すことで再び氷の下へ渡されるので、河が結氷する冬の初めに一度(ひとたび)穿たれた孔は、河が解氷する春の初めまで反復して使われるようでした。その網には、鯇魚(ガンユイ)、川魳(カワカマス)、西比利亜石斑魚(ウグイ)などが掛かり、土小屋まで運ばれた魚は、覆(くつがえ)された鉄の橇の腹の上に透き間なく竝べられ、露天でかちんかちんに凍るままにされます。数尾は、晩酌の肴として刺し身にして山葵(わさび)と醤油でいただきましたが、アイヌ人との交流事業の枠内で北海道を訪れたことがあるという人は、「亀甲萬(キッコウマン)！」という固有名詞を口にしてにかっと微笑むのでした。土小屋ではいろいろとご馳走になりましたが、薪ストーヴで炊いた魚入りの米の粥(カーシャ)が印象に残っています。その粥は、鹽蔵(えんぞう)したか干したかした白鮭(ケター)と想われる赤い身の魚を使って醤油ではなく鹽と胡椒とバターか植物油で味を調えたもので、とても美味しく躰の芯が温まり、残った分は、瀬戸引きの大鍋ごと毛布に包(くる)まれて保温され、翌日の朝食の腹持ちの好い一品となるのでした。一寸(ちょっと)駭(おどろ)いたのは、辺鄙なその地区にも情報技術が盛んに導入されていたことで、翌三月八日の「国際女性デー」の祭日には、土小屋で目を覚ましたばかりの雪灼けと酒灼けで赤鬼のような漁師たちが、玩具みたいな携帯電話を耳に當てて愛妻へ祝いの言葉を囁いており、ナイヒーン村の或る民家では、テレヴィのデジタル放送のチャンネルが百近くもあるようでした。土小屋には風呂はなく、ナイヒーン村へ戻ってから、蒸し風呂を焚いてもらいました。その蒸し風呂は、六畳二間ほどの木造小屋で、玄関を入ると、脱衣室と休憩室を兼ねた板の間があり、一隅には、爐の焚き口があり、白樺の薪が積まれています。奥の間は、板張りの浴室で、扉を展くと、左手には、水を張った盥や水楢の枝葉を束ねた枝箒があり、右手には、腰掛けたり寝そべったりできる雛段ふうの段が二つ三つ壁に造り附けられており、その右脇には、煉瓦造りの爐があり、爐には、石焼き芋の屋台を連想させる黝ずんだ石が盛られています。柄杓を把り、盥の水を汲み、爐で灼かれた石の山へ振り掛けると、忽ち蒸気と熱気が浴室を盈たし、毛穴が開いて汗塗れの裸体を枝箒で叩くと、柏餅のような香りが放たれ、身も心も頭も空っぽになり、熱さに耐え切れなくなると、雪の庭へ裸のまま飛び出し、氷点下二十五度の沍寒に身を晒す、そんなことを幾度も繰り返すのでした。面白いのは、その蒸し風呂が銭湯のようになっていることで、Sさんと二人で入っていると思いきや、いつの間にか見知らぬ少年が隣りで躰を洗っており、母屋には、これから入る老若男女が毛巾を手に愉しげに鳩まっているのでした。何処かの家で蒸し風呂を焚いたら、みんなで貰い湯に行き、自分の家で蒸し風呂を焚いたら、みんなに聲を掛ける、そんな暮らし振りを想像しながら、風呂上りには、脱衣室の長椅子に腰掛けて、主人が用意してくれた自家製の白鮭の干し魚（ユーコラ）や八目鰻（ヤツメウナギ）の燻製のぶつ切りを肴に『極東（ダーリニイ・ヴォストーク）』という銘柄の地麦酒（ビール）で喉を潤したことでした。

ウデヘー人の邑（むら）

ハバーロフスクは、西から東へ流れるアムール河に南から北へ流れるウスーリ河が灌（そそ）ぐ地点にありますが、一九九七年九月六日と七日の両日、私は、北海道新聞ハバーロフスク支局長のKさんに誘われて、ハバーロフスク地方の南隣りの沿海地方の北辺を東から西へ流れてウスーリ河へ灌ぐビキーン川の畔りにあるクラースヌイ・ヤールという先住少数民族ウデヘー人が多く暮らす村へ祭りを見に行きました。悪路を想定して手配された運転手附きの日本製の四輪駆動車は、ハバーロフスクを朝夙（はや）くに発つと、ウスーリ河の流れとは逆に南へ下り、沿海地方国営地区発電所のあるルチェゴールスクという町の手前で東へ折れ、ビキーン川を遡（さかのぼ）るようにシホテー・アリーニ山地へ向かい、木材を搬ぶトラックと擦（す）れ違いながら林道を進んでいきました。到着したその村では、日本のユーラシアン・クラブの方たちが宿泊していた民家に同宿させていただきましたが、寝食の世話をしてくれたナーナイ人のリューダさんの話では、ビキーン川の流域には嘗(かつ)て先住民の聚落(しゅうらく)が幾つかあったものの、それらはたびたび水害に見舞われたので、国家はそれらを一つにして少し高い岸辺に「赤い厂(クラースヌイ・ヤール)」という村を創り、このほどそれから四十年になるのを祝う祭りが催される、ということでした。また、一月ほど前に露西亜人の前任者に代わって村長に任命されたウデヘー人のヴラヂーミル・スリャンジガーさんの話では、村の人口は六百二十八人で、ウデヘー人はほぼ半数の三百十五人で、この村では、ウデヘー人、ナーナイ人、オーロチ人、露西亜人、白露西亜(ベラルーシ)人、烏克蘭(ウクライナ)人といった民族の人が共生しており、混血も多いとのこと、そして、ウデヘー人全体の人口は、一九八九年の国勢調査の際には二千人でしたが、この八年の間(あいだ)に千六百人に減り、トゥングース満洲語派南方系に属するウデヘー語を話せるのは、五十歳以上の人に限られてしまう、とのことでした。さて、祭りの初日は、午下がりに、ビキーン川の畔りの草生(くさふ)で色鮮やかな民族衣装を纏(まと)った老人や子供たちによる豊漁を祈り祝う儀式が営まれ、夕方には、学校の講堂で伝統的な文様を今風に配(あしら)った衣裳(コスチューム)に身を裹(つつ)んだ乙女たちによる華やかなコンサートが催されました。晩には、リューダさんのところで火酒(ヴォートカ)を酌みながら仕留めたばかりの赤鹿(イジューブル)のレヴァー刺しや𩹷(イトウ)の仲間であるアムール𩹷(タイメーニ)のフライをご馳走になってから、ディスコ・パーティーの会場である木造の文化会館のほうへ蚊柱に襲われながら足を運びましたが、午下がりに豊漁の儀式が行われていた草生では、大勢の人が篝(かが)り火を遠巻きに囲んでおり、暫(しばら)くすると、大道藝人のギリヤーク尼崎に面差しが似ている白塗りで異形の盲目の老媼(ろうおう)が、介添え人に手を曳かれて暗闇の中から現れ、タムバリンのお化けみたいな太鼓を杓文字（しゃもじ）のような棒で敲きながら呪文（じゅもん）らしきものを唱え始めるでした。その呪術師（シャマーン）は、齢は九十に達しており、病いを医（いや）す力を授かっているとのことでした。さて、直ぐ隣りのディスコ・パーティーの会場は、玻璃球（ミラー・ボール）もない排球（バレー・ボール）の試合場（コート）くらいの板張りの部屋でしたが、戸外の厳粛な雰囲気とは打って変わって弾けるような熱気を帯びており、若さを持て余した数十の肉体が、小暗（おぐら）い灯（あか）りの下（もと）で人魚のように身を拗（くね）らせて音の海を妖しく泳いでいるのでした。祭りの二日目は、ビキーン川での扁舟（へんしゅう）の競漕や原っぱでの手斧の遠投といった昔ながらの力比べが行われ、優勝者には賞金が贈られていました。宿へ戻ると、「祭りが終わり、灯りも終わり」というリューダさんの溜め息交じりの言葉が待っていました。なんでも、電力の供給は、普段は朝と晩に限られ、祭りの間（あいだ）は特別だった、というのでしたが、ほどなく、ルチェゴールスクの露天掘りの石炭採掘場で無期限のストライキが発生し、その地方の発電事業の多難さが想像されたことでした。ハバーロフスクへの帰途には、林道を走る車の前方に月の輪熊がひょいと現れ、一頭の親熊と二頭の仔熊が、低く弾む毬のように眼路（めぢ）を横切り、山の斜（なぞへ）を転（まろ）び下りていきました。

ハバーロフスクには西比利亜(シベリヤ)鉄道の駅があり、私もそこから列車に乗ることがありましたが、莫斯科(モスクヴァー)とは逆の方面へ下ることが多く、そんなときに利用する列車は、どちらも夜行寝台列車であるナホートカ行きの『東方(ヴォストーク)』号かヴラヂヴォストーク行きの『大洋(オケアーン)』号若しくは寝台急行列車の『露西亜(ロシヤ)』号でした。例えば、二〇〇八年の北海道北方博物館交流協会二十周年記念事業・露西亜巡回展『北海道・四季の美〜栗谷川健一と袴田睦美の藝術〜』の準備のために二〇〇七年九月初旬にヴラヂヴォストークを訪ねた際には、『大洋』号に揺られましたが、数年前に同じ列車に乗ったときと比べてサーヴィスが格段に向上している印象を覚えました。区分客室(コムパートメント)は、露西亜語で「クペー（купе）」と呼ばれていましたが、この列車には、二人用と四人用の区分客室を備えた寝台車と四人掛けの卓子(テーブル)が通路の両側に竝んだ食堂車(ヴァゴーン・レストラーン)が連結されていました。私は、夕食附きの二人用区分客室の指定席券を市内の発券所で予め購入していましたが、その指定席がある区分客室へ入ると、左右の座席兼寝台には、露西亜語の新聞三紙とグラヴィア雑誌二冊とトラヴェル・セット（石鹼、歯刷子(ブラシ)、歯間刷子、歯磨き粉、櫛、沓箆(くつべら)、ティッシュ・ペーパー、ウェット・ティッシュ、沓磨き用のティッシュ）が置かれ、窗(まど)には、立ち泳ぎをして戯れる二頭の海豚(イルカ)を配(あしら)った涼しげな窗掛けが垂れ、窗辺から手前へ延びている梯形(ていけい)の小卓には、一輪挿しの造花と硝子のコップと金属製の小さな籠が置かれ、籠には、鹽(しお)、胡椒、砂糖、麵麭(パン)、苹果(リンゴ)、粉末珈琲、紅茶(ティー)バッグ、バター、ケチャップ、マスタード、マヨネーズ、ヨーグルト、ウエハース、チョコレート、ミネラル・ウォーター、そして、百瓦(グラム)入りの火酒(ヴォートカ)の小罎が入っていました。区分客室の外側の通廊(コリドール)には、細く長く薄い絨毯が敷かれており、通廊の一方の端には、車掌室や給湯器や時刻と室温を緑色の電光で表示する装置があり、もう一方の端には、扉を隔てて洗面室がありましたが、洗面室は、以前よりもかなり清潔に感じられました。発車の電鈴(ベル)の代わりに革命前の露西亜の円舞曲(ヴァーリス)『アムール河の波(アムールスキエ・ヴォールヌィ)』の旋律が旅情を唆(そそ)るように流れるなかを出発して暫(しばら)くすると、区分客室へ夕食が運ばれてきましたが、食堂車でいただいても好いですかと訊ねると、配膳係りの女性は、静かに首肯(うなず)いて向こうに席を用意してくれました。主菜は、肉か魚のどちらかを、附け合わせ(ガルニール)は、蕎麦粥か馬鈴薯のどちらかを、その場で択(えら)べるようになっており、前菜(ザクースカ)は、主菜に魚を択ぶとハムやソーセージが、主菜に肉を択ぶとサーモンか大鮃(オヒョウ)の燻製が、どちらも胡瓜や蕃茄(トマト)や橄欖(オリーヴ)の実と共に供されるのでした。私は、ポーク・ステーキとフライド・ポテトを択び、『西比利亜の王冠(シビールスカヤ・コローナ)』という国産の罎麦酒(ビンビール)を註文しましたが、冷えた麦酒が出てきたことに時の流れを感じ、日本人の間(あいだ)で「馬の溲(いばり)」などと揶揄されていた生温くて泡の立たない麦酒を懐かしみました。右手から西日の射し込む窗(まど)の枠は、木製で仮漆(ニス)が塗られており、そのせいか、食堂車は、和(なご)やかで落ち着いた雰囲気に包(つつ)まれていました。夕食を済ませて区分客室へ戻ると、相部屋の男性は、鼾(いびき)を掻いて泥のように眠っていましたが、そんな姿を目にすると、私には、露西亜では前年の七月一日から長距離列車の乗客が乗車券を購入する際に男性専用か女性専用か男女共用のいづれかの区分客室を選択できるようになり、そうしたサーヴィスは女性の要望を受けて導入されたものの男性にも好評である、といった新聞の記事が、想い出されてくるのでした。さて、すでに消灯はしていても仁丹(じんたん)の顆(つぶ)を撒いたような星灯りに照らされた窓辺で、独り安いコニャックの小罎を傾けながら銀河の譜面を眺めていると、ルージノ（Ружино）という鄙びた駅で音もなく停車した列車の傍(かたわ)らに露西亜正教会の白堊の聖堂が忽焉(こつえん)として現れ、私は、宮澤賢治の童話『銀河鉄道の夜』のジョバンニやカムパネルラと一緒に銀河ステーションから白鳥の停車場(ていしゃば)を経て南十字へと向かう夜汽車に揺られているような幻想に囚われました。ちなみに、露西亜出身力士の阿夢露光大(あむうるみつひろ)（ニコラーイ・ユーリエヴィチ・イヴァノフ）は、この駅を町の玄関口とする人口四万ほどの沿海地方レソザヴォーツク市の出身なので、若(も)しかすると、青雲の志(こころざし)を抱いて日本を目指したときには、この駅からこの列車に乗って靭(しな)やかな体軀を座席兼寝台に横たえたのかも知れません。さて、鉄道と云えば、こんなこともありました。或る年の夏、毎年のように西比利亜鉄道横断ツアーの添乗員として莫斯科(モスクヴァー)方面へ向かう上りの寝台急行列車『露西亜』号に乗車してハバーロフスクで半時間ほど停車する間(あいだ)に歩廊(プラットフォーム)で日本の酒肴(しゅこう)や食材を差し入れてくださる露文の先輩Tさんを、いつものように駅舎と接する歩廊で待っていると、その列車に乗るという独り旅の日本人の男性が現れたので、四方山話しをしたりインタヴューをさせていただいたりしていたのですが、定刻をかなり過ぎても列車が到着しないので、奇怪(おか)しいなと思ってぐるりを見渡すと、なんと、いつの間に入線していたのか、その列車が、羽を息(やす)める白鳥のように二つ三つ先の歩廊に停車しているではありませんか。二人とも、すっかり話しに夢中になっていたため、停車中の長い貨物列車の向こう側へ入線してきた『露西亜』号に気附かなかったのです。すわっ、色を失った私たちは、手荷物や旅行鞄を引っ摑むと、脱兎の如く高くて細い跨線橋を目指し、乗降客を掻き分けて九十九(つづら)折りの階段を駈け上り、『露西亜』号が停車している歩廊への階段を転げ下り、私は、動き始めた汽車の乗降口へその人をスーツ・ケースごと押し込み、その人は、間一髪、列車に間に合ったのでした。私は、心臓をばくばくいわせて列車を見送りながら、先輩との再会は叶わなかったものの行人が乗り遅れなくて好かったと想うと共に、露西亜では列車が停まる歩廊の番号は予め定まっているわけではなく入線間際に構内放送や電光掲示で伝えられることを、今更ながら想い出したことでした。さて、西比利亜鉄道の沿線には、線路が幾条(いくすじ)もあるような大きな駅ばかりでなく、歩廊と地面の見分けが附かないような小さな駅もあり、そんな駅の歩廊では、スカーフ(プラトーク)を冠(かぶ)った女性たちが、ピロシキー、メンチ・カツ(コトレータ)、肉の煮凝り(ホロヂェーツ)、西比利亜風餃子(ペリメーニ)、胡瓜(キュウリ)や甘藍(キャベツ)の漬け物といった手作りの惣菜や自家製の牛乳などを売り台に竝べて鬻(ひさ)いでおり、私は、停車時間を慥かめてから歩廊へ降りては、あれもこれもと両手に持ちきれないほど買い購め、車掌さんが烟草を喫いながら傍らに彳つ乗降口の鉄の踏み段を上って嬉々と自分の区分客室へ舞い戻ったものでしたが、あんな停車場の風景は、今も何処かに残っているのでしょうか。そして、アレクサーンドル・ソルジェニーツィンが短篇小説『マトリョーナの家』で描いた「マトリョーナ」は、今も何処かに生きているのでしょうか。マトリョーシカ人形のような微笑みや含羞みを泛かべながら。

跋

露西亜について、私は、渡露の前には、石原吉郎の『ロシヤの頬』という詩から伝わる「直角」やセルゲーイ・エイゼンシテーイン監督の映画で目にした積み木のようなキリール文字の「直線」といった心象を懐いていたのが、帰国の後には、入れ子人形の「曲線」や尾形亀之助の詩にある「無形国」といった心象を懐いているようでした。けれども、幾ら想を連ねても幾ら辨を弄しても、そんなものは大らかに哄い飛ばしてしまうところが露西亜なのかも知れないとも想われてくるのでした。それでも、露西亜と云うと、私には、「なぜ？」という泉の水を眸の奥に湛えて邪気なく微笑むお下げ髪の少女や、そんな少女へ春一番の待雪草を届けようと雪野を転びながら駈けてくるやんちゃで含羞み屋の少年が、想い泛かんだりするのです。露西亜の幻影は、これからも私の心の野や森を逍い続けてくれるような気がします。永遠の問いのように。

露西亜

露西亜を追懐する『雪とインク』と『ハバーロフスク断想』の両篇を刊行してくださった未知谷の社主飯島徹さん、編輯実務を担當してくださった伊藤伸恵さん、書評を執筆してくださった、安井亮平先生、岩浅武久さん、多和田葉子さん、府川雅明さん、鈴木隆彦さん、支えてくださった凡ての方、お読みくださった凡ての方に、心から感謝しております。最後に、多和田さんの第一集へのコメントを添えさせていただきます。「この本を読んでいてまず感じたのは、ひとつひとつの単語を広大な原野の静寂が包んでいることだった。ゴーゴリなどロシア文学の古い翻訳を学生時代たくさん読んだことを思い出した。戦前の訳者たちは未知の文学を日本語の中に取り入れるために、忘れられかけた濃厚で艶のある漢字を掘り出してきてルビを巧みに使い、時間的にも地理的にも重層的、多言語的な優れたテキストを作り上げていた。そんな日本語が1970年代から80年代にかけて早稲田大学でロシア語を学んだわたしたちの世代の原点にあるのかもしれず、島国では色褪せていったその記憶をひとり大陸で熟成させ、磨き上げ、今の時代に持ち帰り、魅力的な鉱石として提示してきたこの本に心から感謝したい。」(早稲田大学ロシア文学会『ロシア文化研究』第二十六号、二〇一九年)

みなさま、有り難うございました。

二〇二〇年　光りの春　武州白岡にて

岡田和也

おかだ かずや

1961年浦和市生まれ。早稲田大学露文科卒。元ロシア国営放送会社「ロシアの声」ハバーロフスク支局員。元新聞「ロシースカヤ・ガゼータ（ロシア新聞）」翻訳員。著書に『雪とインク』（未知谷）。訳書に、シソーエフ著／パヴリーシン画『黄金の虎　リーグマ』（新読書社）、ヴルブレーフスキイ著／ホロドーク画『ハバロフスク漫ろ歩き』（リオチープ社）、アルセーニエフ著／パヴリーシン画『森の人　デルス・ウザラー』（群像社）、シソーエフ著／森田あずみ絵『ツキノワグマ物語』『森のなかまたち』『猟人たちの四季』『北のジャングルで』『森のスケッチ』、レペトゥーヒン著／きたやまようこ絵『ヘフツィール物語』、プリーシヴィン著『朝鮮人蔘』（以上未知谷）がある。

ハバーロフスク断想（だんそう）
承前雪とインク

2020年3月19日初版印刷
2020年3月31日初版発行

著者　岡田和也
発行者　飯島徹
発行所　未知谷
東京都千代田区神田猿楽町 2-5-9　〒101-0064
Tel. 03-5281-3751 / Fax. 03-5281-3752
［振替］　00130-4-653627

組版　柏木薫
印刷所　ディグ
製本所　難波製本

Publisher Michitani Co, Ltd., Tokyo
Printed in Japan
ISBN 978-4-89642-607-6　C0095